tredition®
www.tredition.de

J. Gabriel

Was wäre, wenn Worte sprechen würden?

Ein kleiner Ratgeber für Dichter, Denker und den dicken Rest (der das gerne werden möchte)

Verlag und Druck: tredition GmbH, Halenreie 40-44, 22359 Hamburg

ISBN
Paperback: 978-3-7439-8251-2
Hardcover: 978-3-7439-8252-9
e-Book: 978-3-7439-8253-6

Printed in Germany

Inhaltsverzeichnis:

I. ***Nachwort***

Diese Zeile stellt nun den Anfang dieses Buches dar und sind wohl ihr erster Kontakt mit mir, zu Gast als ihr persönlicher Autor des Vertrauens, und meinen Worten.

Vielleicht wird Sie dieser Satz überraschen, aber ich glaube nicht daran, dass Sie sich dieses Vorwort bis zum Ende durchlesen. Erwarten würde ich es von Ihnen nicht, ich denke, dass ich das noch nicht einmal selbst von mir erwarten dürfte.

Wenn Sie es jedoch tun, haben Sie mich eines Besseren belehrt.

Und das schon zu Beginn dieses Buches, wobei ich hier die *autoritäre Figur* sein sollte.

Womöglich sind diese Zeilen auch nicht ihr erster Kontakt mit „meinen Worten" – denn irgendwoher müssen Sie ja davon erfahren haben, dass sie in diesem Buch existieren.

Woher?

Das würde ich auch gerne wissen.

Jedoch sollte ich mich etwas zügeln, Sie sind ja schließlich gekommen, um im besten Falle Antworten auf Ihre und meine Fragen zu bekommen, und nicht, um sich mit lästigen Gegenfragen aufzuhalten.

Vielleicht beginnen wir mit der Frage, die Ihnen wohl auf Ihrer Seele brennt, denn Sie haben sich ja schließlich auch dazu entschieden, dieses Buch aufzuschlagen:

Was dürfen Sie von diesem Buch erwarten?

Bevor ich Ihnen eine ehrliche Antwort auf diese Frage ermöglichen will, sollte ich eine Beichte ablegen:

Dieses Buch ist ***unvollständig***.

Und bevor Sie jetzt aus allen Wolken fallen und sich um ihr Geld betrogen sehen, da Sie ein „unfertiges" Produkt gekauft haben, im Irrglauben, dass ich als Autor mir die extra die Mühe machen würde, dieses Buch auf seine Vollständigkeit hin zu überprüfen und es letztlich als „fertiges Produkt" präsentieren und veröffentlichen würde, denken Sie bitte kurz über Folgendes nach:

Wenn Sie einen Gegenstand Ihrer Wahl mit dem Gedanken kaufen, dass er sich im Moment, in dem Sie ihn das erste mal ausgepackt in ihren Händen halten, in einem Zustand der *„vollkommenen Vollständigkeit"* befindet…

Und letztlich doch etwas fehlt, würden Sie sich darüber ärgern, dass das Gesamtpaket einfach nicht gepasst hat oder dass Sie so gutgläubig Vertrauen in die Aussage eines Herstellers (oder aber Ihres *„gesunden Menschenverstandes")* gelegt haben, sodass die Überprüfung dieser *einfachen Ahnung* nicht mehr notwendig schien?

Können Sie sich wirklich sicher sein, dass ihr Gegenstand oder dieses Buch auch bis zum Punkt am Ende des Satzes durchdacht wurde?

Von mir jedenfalls kriegen Sie keine Garantie dafür.

Dann können Sie sich immerhin nicht bei mir beschweren.

Um auf die Frage zurückzukommen, ***was*** dieses Buch ihnen nun bieten kann, möchte ich Ihnen einen kurzen Denkanstoß geben:

Haben Sie sich schon einmal gefragt, weshalb wir so viele Worte in unserer Sprache besitzen, obwohl wir den Großteil dieser Worte noch nicht einmal in unseren eigenen Sprachschatz aufgenommen haben?

(Geschweige denn aktiv mit diesen ganzen Worten umgehen können)

Haben Sie sich schon einmal Gedanken darüber gemacht, wie Worte es auf der einen Seite schaffen können, unsere Liebsten mit schönen Dingen zu freuen, sie auf der anderen Seite aber auch die Kraft besitzen, Leid, Schmerz, Krankheit und schlussendlich auch den Tod herbeiführen und verursachen können?

Oft haben wir nicht die Zeit, um uns mit diesen *„banalen"* Themen zu beschäftigen und intensiv in diese einzutauchen, schließlich verlangt das ja auch keiner von uns.

Und trotzdem sind es Themen, die mich umtreiben und für die ich mir auch gut und gerne die Zeit nehme – denn in meinen Augen sind Sie wichtig und basieren auf einer Grundlage, die für uns Menschen *wesentlich* zum menschlichen *Wesen* dazugehört:

Kommunikation.

Diese kann auf ganz unterschiedlichen Ebenen erfolgen:

Ob durch Gestik, Mimik, Sprache oder auch *andere Zeichen der Zuneigung* (wenn Sie sich dazu entschließen, dieses Buch zu lesen, werden Sie früh feststellen, worauf ich mit diesen kursiv gedruckten Worten anspielen möchte)

Und die Sprache scheint die eindeutigste dieser Formen zu sein, denn *eigentlich* müssen wir uns nicht wirklich anstrengen, um die Sprache eines anderen zu verstehen, vorausgesetzt, er spricht eine Sprache, die ich verstehen **kann.**

Eigentlich.

In diesem Buch soll es aber um das *Uneigentliche* gehen.

Jene Dinge, die für uns so selbstverständlich sind, dass wir sie auch selbstverständlich nicht mehr hinterfragen.

Dieses Buch soll eine Lehre vertreten, die Lehre sensibler mit den eigenen Worten umzugehen und deren Gestaltung, deren Betonung sowie deren Ausschreibung zu achten.

Auch Unsere Worte sind oft „unvollkommen“ und stecken voller Fehler – oder Lügen.

Wie kann man etwas Unvollkommenes als „fertig“ und „ohne Notwendigkeit zur weiteren Überprüfung“ annehmen, wenn man es selbst nicht vermarktet?

Vielleicht halten Sie diese ganze Idee nach diesem Vorwort für einen einzigen Schmarn.

Vielleicht bin ich einfach überheblich und ein Autor, der nichts anderes zu tun hat, als Ihnen als Leser eine Geschichte zu erzählen, die Sie möglichst viel Ihrer persönlichen Lebenszeit für mich beansprucht – und es Ihnen am Ende nichts gebracht hat.

Vielleicht aber bringt Sie dieses Buch zum Nachdenken über die scheinbar eindeutig *uneindeutigste* Form menschlicher Kommunikation.

Vielleicht bin ich auch ein Tomatenverkäufer.

Vielleicht sind Sie auch ein Tomatenverkäufer.

Ich kann das nicht überprüfen – außer wir begegnen uns auf einer Veranstaltung, die sich an Tomatenverkäufer richtet.

Ich möchte Ihnen aber hiermit sagen, dass ich Ihnen meine Worte zur Verfügung stelle, damit Sie diese lesen können.

Was Sie hinter diesen vermuten möchten oder nicht, hängt nicht davon ab, in welcher Art und Weise ich sie schreibe. Es hängt davon ab, wie sie meine Worte *deuten* und welche *Bedeutung* für Sie hinter diesen Worten steckt.

Dieses Buch ist eine These, kein Beleg.

Behandeln Sie es dementsprechend.

Und Ihre Worte am Besten auch.

I. Das Vorgespräch

Erstes Kapitel: Die Seelen unserer Worte

So.

Jetzt sind wir also hier, Sie und ich.

Sie haben den ersten Teil dieses Buches und auch die Überschrift dieses Kapitels gelesen

(Ist Ihnen aufgefallen, dass es sich bei dem Namen dieses Kapitels auch um den Titel des Buches handelt?).

Ich sage Ihnen nun, wie dieses Spiel zwischen Ihnen als Leser und mir als Autor weitergehen wird:

Angefangen hat es damit, dass Sie sich dazu entschlossen haben, dieses Buch zu kaufen.

Das Vorwort haben Sie gelesen, sich mit den Anfangszeilen des ersten Kapitels auseinandergesetzt und **jetzt** müssten Sie gedanklich auf der Höhe dieser Zeilen sein, die Sie seit ungefähr 20 - 40 Sekunden angestrengt lesen.

„Wann kommt Er denn mal auf den eigentlichen Punkt?“, mögen Sie vielleicht denken.

Die Antwortet lautet: Jetzt.

Denn, wie ich es gerade schon einmal formuliert habe, können Sie den Worten, die Sie nun schon eine Weile lesen, gedanklich folgen.

Bevor Sie sich in dieses Buch hineinstürzen, möchte ich Ihnen, wie wichtig es mir ist, Ihnen zu zeigen, dass jedes einzelne Wort auf dieser Seite Ihnen dabei hilft, ein großes Bild aus vielen kleinen Bausteinen zu erschaffen.

Eine These, die ich in diesem Buch aufstelle, ist jene, *dass jedes Wort, das wir in unserem eigenen Sprachgebrauch und persönlichen Wortschatz verwenden, etwas besitzt, das wir einer menschlichen Seele gleichstellen können*..

Damit Sie ein Gespür dafür bekommen, wie jedes einzelne Wort sich „fühlt“ und Empathie für Ihre Worte aufbringen können, möchte ich Ihnen dabei helfen, sich diese Seelen in einer etwas *„menschlicheren“* Form vorzustellen.

Wie fragen Sie mich?

Natürlich in Form eines Kindes!

Am besten sogar in Form *Ihres* Kindes.

Also: Stellen Sie sich vor, dass Sie ein Kind haben.

(Für den Einen bedarf es vielleicht etwas **VIEL** Vorstellungskraft – aber ich versichere Ihnen, es geht)

Die nächste Überlegung klingt im ersten Moment vermutlich etwas eigenartig, aber versuchen Sie dieses Kind zudem als einen kleinen Spiegel Ihres eigenen kindlichen Lebens zu betrachten. (Eine Erklärung folgt im nächsten Kapitel)

Sie befinden sich nun mit ihrem Kind in einem kleindörflichen Supermarkt und sind gerade auf dem Weg Richtung Kasse. Auf dem Weg Richtung Kasse meldet sich nun ihr kleiner Knirps und möchte eine Packung Kaugummis. Eine kleine Stimme erhebt sich und stellt Ihnen eine Frage:

„Mama, kann ich Kaugummi?“

Mit großen, bittenden Augen blickt es Ihnen ins Gesicht...

Sie können ihm diesen Wunsch selbstverständlich nicht ausschlagen, denn was wären Sie denn für ein unsensibler Elternteil, der diesen raren Moment der kindlichen Aufrichtigkeit nicht wertschätzen wüsste ?

Sie nicken also kurz mit dem Kopf und als Sie dann schließlich vor dem Regal der zuckrigen Kaumassen stehen, fordern Sie das Kind wiederum auf zu verbalisieren, welche Sorte es denn nun möchte.

Ein kurzes „Welche?“ bringt diese Aufforderung treffend und stilsicher zum Ausdruck.

„Die da!“, entgegnet ihr Knirps, während er auf eine schwer zu erkennende Stelle in der Luft deutet.

Sie überlegen schnell, drücken durch ein allumfassendes „Ok.“ Ihr Einverständnis aus und begeben sich mit Ihrem Einkaufswagen derweil in Richtung Kasse.

Ihr Kind hat unterdessen registriert, dass es sich Kaugummis nehmen darf - und greift vergnügt nach einer Reihe an verschiedenster Sorten und Geschmäckern, präsentiert Ihnen stolz seine Sammlung an köstlich-klebrigen Leckereien und legt diese dann in den Einkaufswagen.

Als treusorgende Mutter (und natürlich darf sich hier auch jeder liebende Vater angesprochen fühlen) geht bei Ihnen sofort ein Sensor an, der Sie davor warnt, dass dieses Übermaß an Zucker schlecht für die Zähne ihres jungen Sprösslings ist.

Ihre erste spontane Reaktion könnte lauten: "Ich sagte eins!"

Aber gehen wir davon aus, dass ihr Kind die dahinterstehende Aussage zwar verstanden hat, sich aber dazu entschließt, diese vorsätzlich falsch zu deuten - denn Kinder sind ja bekanntlich nicht blöd.

"Du sagtest eins ***waaaaaaaaaaas?***"

"Eine Kaugummipackung."

"Das hast du nicht gesagt."

"Aber...aber du hast doch nur nach **einer** Packung Kaugummis gefragt!!"

"Nein, ich habe gefragt:

KANN. ICH. KAUGUMMI."

Und an dieser Stelle müssten Sie ihrem kleinen Besserwisser eigentlich einen Gewinn zugestehen, denn er hat tatsächlich weder eine definitive Aussage darüber getätigt, *welchen* Kaugummi er genau wählen möchte noch eine Angabe dazu gemacht, wie viele er verlangt.

(Die meisten Eltern würden ihr Kind trotzdem umgehend zurück zum Regal schicken, um einen lebenslangen Kaugummivorrat und einen Millionenverlust zu vermeiden)

Doch was noch viel wichtiger ist:

Sie müssen die Verantwortung für diesen Vorfall tragen.

Die meisten Kinder werden dies nur ein, höchstens ein paar Mal probieren, bis sie feststellen müssen, dass dieser Weg zum Scheitern verurteilt ist und nichts als Ärger mit sich bringt, folglich also keinen bleibenden traumatischen Schaden davontragen.

Trotzdem könnte es passieren, dass ihr Kind diese unmögliche Art zu reden

- ohne **Modalverben** ("Kann ich Kaugummi *haben*?")
- ohne **Demonstrativpronomen** ("Kann ich *diese* Kaugummi haben?")
- ohne (wahlweise) richtige Pluralbildung ("Kann ich diese *Kaugummis* haben?) oder die Beschreibung durch **Substantive** ("Kann ich diese *Packung* Kaugummi(s) haben?")

sein Leben lang behalten wird.

Ihre knappen Antworten in Form von

- "Welche?", das als **Fragepartikel** (Akkusativ, Plural) *alleine* nicht wirklich aussagekräftig ist...
- "Ok", der Ausdruck, der (nicht nur in der deutschen Sprache) ***das*** Paradebeispiel schlechthin für sprachlichen Kürzungen ist

könnten darauf schließen lassen, dass auch *Sie* sprachliche Reduktion einem detailreichen und definierten Stil vorziehen und ihn ihrem Kind tagtäglich vorgelebt haben.

Ich möchte nicht behaupten, dass Sie womöglich der Grund für eine Karriereminderung ihres Kindes sein könnten (Bis es dann 18 wird, gibt es dann einige mehr Menschen, die sie dafür verantwortlich machen könnten).

Auch liegt es mir fern, irgendwelche Annahmen über Ihr Leben aufzustellen, denn wahrscheinlich haben Sie im echten Leben oft genug mit derlei Menschen zutun.

Da brauchen Sie nicht zusätzlich noch einen unbekannten Autor.

Ach, wissen Sie...Eigentlich hätte ich jetzt eigentlich gut und gerne Lust, eine Diskussion darüber loszutreten, ob in dieser Situation nicht sogar "*Kann ich diese eine Kaugummi Packung der Marke* (Unternehmen hier einfügen) die einzig akzeptable Frageform wäre, aber das wäre erstens zu viel des Guten und zweitens hätte ich diese Frage mit 7-10, wahrscheinlich noch nicht einmal 14 *so* formuliert, deshalb: Sparen wir uns das.

Aber beschäftigen wir uns mit einer viel wichtigeren Frage:

Wo steckt in diesem Beispiel die Analogie zu unseren Worten?

Worte, die wir benutzen, um uns mit unseren Mitmenschen zu verständigen, sind jene Schlüssel, die wir brauchen, um den ersten Zugang zu unserem Gegenüber zu bekommen.

Sie sind der erste Eindruck, den wir bewusst mitbekommen und die es uns ermöglichen, die Gefühlswelt, die den Menschen umtreibt, erfassen und umfassend verstehen zu können.

Welche Antwort würden Sie auf die Frage „Wie geht es dir heute?“ geben ?

Vielleicht ein kurzes „Gut“?

Oder sogar „Ganz Gut“?

Für meinen Teil würde in den meisten Situationen ein einfaches „Gut“ reichen.

Für Sie auch ?

Dabei muss es uns doch in dieser Situation nicht zwangsläufig „Gut“ gehen.

Vielleicht haben Sie an diesem Tag eine unerwünschte Nachricht erhalten und es geht Ihnen eigentlich „***GAR NICHT GUT***“. Oder aber Sie haben bei der Begutachtung Ihrer Kontoauszüge eine kleine Dividende gefunden, die Sie von der Bank erhalten haben – ganz nach dem *„Monopolyprinzip“*, folglich geht es Ihnen faktisch gesprochen sogar „***SEHR GUT***“ wie es auf dem Gütesiegel steht. In beiden Fällen könnten Sie jedoch mit „Gut“ antworten; entweder, weil Sie Ihrem Gesprächspartner nicht die Last Ihrer Probleme aufdrücken wollen - oder weil es schlicht und ergreifend kürzer ist. Es könnte noch hinzukommen, dass Sie sich gerade in einem stark überfüllten Zug begegnen – oder auf dem Weg zu einem wichtigen Frisörtermin.

Eine ganze Reihe an Dingen und Zufällen wären in der Lage, das Ergebnis Ihrer Antwort in einfaches „Gut“ verwandeln zu.

Und diese könnten auch unterschwellig Einfluss nehmen, sodass sie weder registriert noch wahrgenommen oder gar beeinflusst werden können.

Vielleicht gleicht Ihr Unterbewusstsein diese Situation mit ähnlichen oder bereits bekannten Situation dieser Art ab und rät Ihnen, dass die passende Antwort auf die Frage „Wie geht es dir?“ ein kurzes und knackiges „Gut“ ist.

Abwegig erscheint das nicht, denn das haben uns schon von unseren Eltern und Großeltern, unseren Freunden und Bekannten, den Bäckermeistern und Bäckermeisterinnen im Ort gelehrt – die lebten uns das ja korrekt vor.

„Wenn man anderen Menschen sagt, dass es einem gut geht, geht es einem gut – die anderen verstehen das, vielleicht geht es Ihnen dadurch, dass es einer anderen Person gut geht sogar noch etwas besser als dem „Ausgangsgut" und es stehen keine offenen Fragen mehr im Raum. Das Gespräch kann weitergehen."

Sie fragen sich, weshalb ich diesen Satz in Anführungszeichen gesetzt habe?

Das kann ich Ihnen sagen: Sätze dieser Art soll Ihnen Gedanken, die ich als Autor, der sich nicht in Ihrer Nähe befindet, hören kann, wenngleich Sie diese nicht aussprechen – oder wenigstens jene, die Sie nach meiner Annahme haben könnten.

Nach dem *kleinen Small-Talk* werden meist die wahren Interessen hinter dem Kontaktgesuch offenbart.

Man könnte sich zum Beispiel unterhalten, weil man eine Bindung zu einer Person und Ihren Gefühlen aufbauen möchte.

Oder es handelt sich um ein Gespräch in einer geschäftlichen Affäre handeln

(Falls Sie nun nicht mit dem Wort der Affäre einverstanden sind, darf ich Sie als einen weiteren lebenden Beweis meiner ursprünglichen These begrüßen. Gibt es in Ihrem Wortverständnis nur die Beziehungsaffäre oder (etwas informeller ausgedrückt) den Seitensprung? In meinem nicht.)

Vielleicht wollen Sie auch einfach einem Passanten auf der Straße mitteilen, dass er sich doch bitte einen Meter zur Seite bewegen möge, denn er sei ja schließlich keine zelestäre Gestalt ohne Masse, ein gewisses Volumen und eine Dichte...

Vielleicht unterhalten Sie sich darüber, aus welchem Grund es dieses Wort „*zelestär*" nicht gibt?

Es gibt viele Themen und Fragen, über die *gesprochen* wird und zu denen *Worte* ausgetauscht werden, jedoch machen wir uns allzu häufig keine Gedanken darüber, wie groß die Anzahl an Worten, die wir täglich verlieren tatsächlich ist – und welche davon auch noch von Gehalt sind.

Wenngleich Sich dieses Buch mit den Seelen unserer Worte befassen wird, würde ich an dieser Stelle noch eine Meinung abgeben, bevor ich Sie durch das nächste Kapitel führen werde.

Nach meinem Verständnis nach haben nicht nur unsere Worte etwas, das einer menschlichen Seele gleichkommt und Achtung verdient.

Für mich hat jeder Gegenstand, der mich umgibt eine „kleine persönliche Seele", die mit meinen

Empfindungen und meiner Seele unwiderruflich verknüpft ist.

Was ich sagen möchte, ist, dass jeder persönliche Gegenstand, den Sie oder ich besitzen, ein kleines Innenleben führt, von dem wir– wenn überhaupt-nur wenig mitbekommen.

Und auch diese sind mit Achtsamkeit und Behutsamkeit zu pflegen.

Oder haben Sie gerne staubige Flaschen, schiefe Möbel und eingetrocknete Pflanzen in Ihrem Appartement stehen?

Ich jedenfalls mag das nicht. Und ich als Vase würde das auch nicht mögen.

Zweites Kapitel: Weshalb wir Worte nicht als „Tabu“ abstrafen dürfen

Haben Sie sich schon mit der Frage beschäftigt, weshalb ich es im ersten Kapitel vorgezogen habe, dass Sie sich vorstellen, ein Kind zu betreuen, das *ein Spiegel Ihrer kindlichen Seele* ist, als einfach zu sagen, dass Sie sich „ihre Person einfach in einer etwas jüngeren Ausgabe vorstellen sollen?

Ja?

Großartig!

Ich beantworte Sie Ihnen aber gerne trotzdem, ganz gleich ob Sie sich die Frage gestellt haben oder Sie die Antwort überhaupt interessiert; in meinem *„Wie werde ich ein guter Autor in 7 Tagen-Kurs“* kamen Rhetorische Fragen schon in der ersten Lektion – und ich halte mich akribisch an die Vorgaben, denn mit *Akribie verliert man nie!*

(Unangemessene Autorenwitze und Reime waren auch Teil des Gesamtpakets, hoffentlich stören Sie sich nicht zu häufig an diesen Momenten)

Sie sollen sich in der Elternrolle sehen.

Sie sollen bewusst die Verantwortung nachempfinden können, die Ihre eigenen Eltern aufnahmen, als Sie sich mit der Erziehung Ihres kleines Lebens betraut sahen.

Auch ist diese Analogie des zu betreuenden Kindes in der weiteren Beziehung zu unseren persönlichen Worten sehr hilfreich – aber das werden Sie noch früh genug verstehen.

In diesem Kapitel soll es also um die Frage gehen, ob *wir unsere Worte für die Dinge verantwortlich machen können, die unserer Person widerfahren sind* und ob das ewig schweigende Tabu ein passender Umgang mit unseren Worten und Wortseelen ist.

Deshalb soll es in diesem beispielhaften Kapitel um ein Thema gehen, mit dem Sie als Leser dieses Buches bestimmt schon einmal *intim und intensiv* in Kontakt gekommen sind.

Aber wissen sie was?

So *wirklich* wissen Sie eigentlich auch nichts darüber (und das werde ich Ihnen gleich beweisen!).

Das liebste Thema der Deutschen – und wahrscheinlich auch einem großen Anteil der Weltbevölkerung - ist und bleibt wahrscheinlich ***Sex***.

Ja, Sie haben richtig gelesen.

Es soll um Sex gehen.

Der Begriff wurde in dieses Buch geschleudert und wird mir großer Wahrscheinlichkeit auch auf dieser Seite verbleiben.

Fühlen Sie sich unwohl?

Steht Ihnen schon die Schamesröte ins Gesicht?

Denken Sie vielleicht sogar etwas im Sinne von: „Wie unverfroren er diesen Begriff einfach in das Buch hineinschreibt, **E-K-E-L-E-R-R-E-G-E-N-D**!"

Dann möchte ich mich an diesem Punkt eine Entschuldigung aussprechen.

Dieses Buch soll Sie nicht empören, sondern nur zum Nachdenken anregen. Vielleicht brauchen Sie kurz etwas Zeit. Nehmen Sie sich die Zeit.

...

Konnten Sie sich etwas beruhigen? Dann lassen Sie uns anfangen.

Womit fragen Sie?

Na, mit der Fallbesprechung! So gehört es sich doch in einem guten Beratungsgespräch.

Sie fragen mich, wann sich dieses Buch in einen „Ratgeber" verwandelt hat ?

Ich sage es Ihnen: **Hier und JETZT**. Und dass Sie nicht so viele Fragen stellen sollen, sonst kommen weder Sie noch ich zum nächsten →. (Zu Deutsch: Punkt)

Denn ich würde jetzt gerne von Ihnen wissen, weshalb Sie dieses Wort derart abstößt, das Sie schon beim bloßen Lesen unbehaglich werden.

Hat es Ihnen etwas Schlimmes getan? Waren Sie vielleicht einmal in einer unglücklichen Beziehung mit diesem Wort?

Oder aber bereitet Ihnen dieses Wort solches Unbehagen, weil die damit verbundenen Gefühle und Erinnerung schambesetzt und *sehr* intim sind?

Denken Sie doch einmal an die Zeit zurück, als Sie dieses Wort das erste Mal bewusst gelesen, gesagt oder geschrieben haben…

„…“

Haben Sie es denn schon einmal geschrieben?

Wenn nicht, sollten Sie schleunigst einen Stift und ein Papier zur Hand nehmen und dieses Wort auf ein Papier schreiben.

Sie wollen es nicht?

Dann schreibe ich auch nicht weiter.

…

…

…

…

…

…Haben Sie es endlich getan?

...

...

...

...

...

...Wissen Sie, ich bin Autor.

Ich *muss* weiterschreiben, sonst findet dieses Buch kein vernünftiges Ende und Sie sagen „Puhhh,...Hätte ich dieses Buch doch mal lieber nicht gekauft und mir die 4,99€ für einen Frappuccino bei Starbucks gespart." Dann empfehlen Sie dieses Buch nicht weiter, ich verkaufe keine Einheiten mehr und dann?

„..."

Das führt doch zu nichts.

Vergessen Sie das Ganze.

Es soll hier nicht um meine Probleme und persönliche Quarterlife-Crisis gehen.

Aber diese Beratung funktioniert nur, wenn *Sie* auch mitmachen.

Deshalb *rate ich Ihnen an*, dass Sie einen Stift und ein Stück (am besten unbenutztes) Papier in die Hand nehmen oder meinetwegen auch auf den Tisch legen und diese drei Buchstaben auf das Papier schreiben: S-E-X.

Am Besten wäre es jetzt auch noch, wenn Sie dies in der angegebenen Reihenfolge schreiben könnten.

Vermutlich haben Sie diese Aufforderung auch unausgesprochen richtig ausgeführt, das beruhigt mein Gewissen ungemein!

Sie sollten jetzt dieses Blatt vor sich haben, auf dem *Sex* steht.

Schauen Sie sich dieses Wort genau an.

Sie haben es geschrieben. „Und jetzt?"

Ab jetzt dürfen Sie mir Ihre Fragen stellen.

Dass Sie auf diesen Moment gewartet haben, ist mir durchaus bewusst – auch wenn ich Sie gerade nicht vor mir Sitzen sehe.

Weshalb also sollen Sie sich dieses Wort **SO GENAU** anschauen?

Meine Antwort lautet: Damit Sie es in Ihrer eigenen Handschrift sehen.

Vielleicht verstehen Sie meine Aussage besser, wenn Sie es nun schwarz auf weiß oder blau auf weiß oder meinetwegen auch weiß auf schwarz sehen.

Damit Sie sehen, dass die persönliche Note eines *einfachen Wortes* niemals unverkennbar und immer sichtbar ist - und nicht unterschätzt werden darf.

Sie sehen nun dieses Wort vor sich.

Versuchen Sie sich in einen Dialog mit diesem Wort zu begeben.

Fragen Sie es, wann Sie sich zum ersten Mal begegnet sind. In welchem Umfeld haben Sie sich das erste Mal getroffen?

Wussten Sie bei dem ersten Kontakt mit diesem Wort schon um dessen Bedeutung? Konnten Sie mit dieser Bedeutung womöglich schon etwas anfangen, als Sie zum ersten Mal *auf nackte Tatsachen* stießen?

Sie sollten sich mit dem Wort aber auch über unangenehme Angelegenheiten und Dinge unterhalten:

Wann wurde Ihnen das erste Mal bewusst, dass es in der Öffentlichkeit verpönt ist, über dieses Wort zu sprechen?

Mussten Sie diese Erfahrung erst machen oder konnten Sie es *erahnen*?

Wenn Sie sich wirklich an diese Schritte gehalten haben (Es muss Ihnen auch niemand dabei zuschauen, Sie können das *WIRKLICH* machen), dann dürfte Ihnen allmählich bewusst werden, dass dieses Wort tatsächlich anfängt, Ihnen etwas über sich zu erzählen – und von gemeinsamen Geschichten, die Sie zusammen erlebt haben.

Ob im Schlafzimmer, in der Küche, im Urlaub am Strand – fragen Sie das Wort und es erzählt Ihnen alle (mitunter auch schmutzigen) Details aus seinem, Ihrem und Ihrem gemeinsamen Leben.

Wenn Sie soweit Ihre persönlichen Anekdoten ausgetauscht haben, kommt es zu dem ziemlich unangenehmen Teil in diesem Gespräch: Es wird Ihnen die Frage stellen, wann Sie es aus Ihrem aktiven Sprachgebrauch in die hintersten Winkel ihres passiven Wortschatzes verbannt haben.

Und es erwartet eine ***GUTE*** Begründung, denn Sie haben ja den ersten Kontakt gesucht und das Interesse vermittelt

Das Interesse müssen *Sie* jetzt auch halten.

Vielleicht haben Sie schon passende Ausflüchte parat:

Bei der letzten Geburtstagsfeier zum 80. Von Oma Hildegard hat sich einfach nicht der passende Gelegenheit geboten…

Mit Ihrem Partner konnten Sie nicht über dieses Thema reden, weil er sich nicht wirklich dazu durchringen konnte, sich mit den Bedürfnissen der eigenen bröckelnden Beziehung zu befassen…

Wenn Sie sich diese Argumente von einem nahestehenden Freund anhören würden, kämen Sie sich (auf gut Deutsch) *ganz schön verarscht* vor.

Wieso also glauben Sie, dass Sie mit ihren *eigenen* Worten derart respektlos und unbewusst umgehen könnten ?

Weil Worte Ihnen keine Widerworte liefern?

„…Zum Beispiel."

Aber sehen Sie dieses Wort doch auch als etwas anderes als nur ein *Wort.*

Sehen Sie es als eine Art Vermächtnis, ein enzyklopädisches Nachschlagewerk, das Sie in jeder Lebenslage nach seiner Einschätzung und seinen gespeicherten Daten durchblättern können.

Betrachten Sie Ihre ganze Sprache als Solches.

Sehen Sie Ihre Muttersprache als ein Vermächtnis derer, die sich in der Vergangenheit in dieser Sprache unterhielten.

Ein Wort, das sich in dieser Sprache finden lässt, wurde deshalb *ins Leben gerufen,* weil zu einem gewissen Zeitpunkt in der Sprachgeschichte die Notwendigkeit bestand, das zu benennen, was es beschreibt.

Damit wäre auch endlich die Frage geklärt, was denn nun zuerst da war:

Nicht das *Wort,* sondern das, was es beschreibt!

Bei dem „Henne-und-Ei"-Dilemma wird Ihnen diese Erkenntnis wahrscheinlich nicht sehr dienlich sein können...

Ihr anfängliches Sex-Wort wird sich an dieser Stelle wohl melden und trotz dieser „erleuchtenden Erkenntnisse" eine ausführliche Begründung auf die in den Raum gestellte Frage erwarten.

Und wenn Sie einmal ehrlich mit sich und ihrem Wort sind, dann müsste Ihnen einleuchten werden, dass es die Begründung doch eigentlich gar nicht gibt... oder etwa doch?

Würden Sie Ihrem Kind erklären, dass es etwas Unrechtes getan hat, wenn ein anderes Kind aus dem Kindergarten einen Schokoriegel geklaut hat und es das daraufhin einem Erzieher weitergeleitet hat?

Sicherlich nicht, das hoffe ich für Sie und Ihr Kind.

Man mag zwar keine Petzen, aber Diebe mag man noch weniger

Wie also wollen Sie diesem Wort schlüssig erklären, dass es etwas Unrechtes tut, in dem es nur seine Bedeutung von Ohr-zu-Ohr, von Mund-zu-Mund oder von E-Mail-zu-E-Mail trägt?

Dazu wurde es ins Leben gerufen.

Und wie haben Sie es Ihm gedankt?

Indem Sie es einfach aus Ihrem Wortschatz verbannt haben!

Bitte entschuldigen Sie meine überaus harschen Worte an dieser Stelle, aber *irgendjemand* muss es Ihnen einmal sagen! Ich weiß zwar nicht, wie Sie das sehen…

Aber an der Stelle des Wortes wäre ich nicht wirklich gewillt, mich noch ein weiteres Mal mit Ihnen zu unterhalten.

Denn stellen Sie sich vor:

Dieser Begriff erfährt jene Art der Ablehnung tagtäglich von abermillionen Sprechern der Sprache, in der diese Aneinanderreihung von Buchstaben einen Sinn ergibt.

Sie sind nur einer dieser Vielzahl an Menschen, durch die es Tag für Tag unterdrückt und diskriminiert wird.

Und es gibt abertausende weitere Begriffe und Ausdrücke, die wir aus unserem Sprachgebrauch und sogar aus unserem passiven Sprachverständnis verbannt haben, entweder aus dem Grund, weil Sie „aus der Mode geraten sind“ oder weil man aus Scham nicht über Sie spricht.

Erinnern Sie sich aber an die Analogie zu Ihrem Kind und betrachten Sie ihre Sprache auch als eines:

Sie (und eine ganze Reihe professioneller Babysprachesprecher) waren hautnah dabei, als Sie die ersten Worte über Ihre Lippen brachten und hiermit eine Reise für diese Wörter begann.

Eine Reise über die Sphären der ganzen Bestandteile der Luft in Richtung der Gehörmuscheln Ihrer Eltern, über das Innenohr direkt in das Sprachzentrum Ihrer treuen Fürsorger – und es hat sie gefreut!

Danach ging Ihre Reise doch relativ fix weiter und Sie haben Ihren Wortschatz in Windeseile um einige hundert Wörter pro Tag erweitert. Dabei haben Sie unbewusst einige Worte aus Ihrem Wortschatz gestrichen, „auf das diese nie mehr die Ohren dieser Welt erfreuen können".

Und eines dieser Worte will nun eine Erklärung.

Und Sie haben keine.

Denn eigentlich können Sie nicht diesen Ausdruck dafür zur Rechenschaft ziehen, dass die Sache, für die er steht gesellschaftlich inakzeptabel oder *eher ungern gesehen* ist…

Wieso gibt es die *Tabus unter den Worten*?

Weshalb sehen wir das Bedürfnis, unsere Sprache für jene Dinge abzustrafen, die wir doch nur durch diese eine Sprache und deren Inhalte beschreiben können?

Ist es vielleicht ein verzweifelter Versuch unserer Bevölkerung, die eigene Sprache für unsere Taten verantwortlich zu machen?

Sind es wirklich die Worte, die etwas Schlimmes getan haben oder bezichtigen wir diese grundlos, weil es der bequemere Weg ist, als sich mit dem zu beschäftigen, was dahinter steht?

Das Wort „Sex" z.B. hat es sich nicht ausgesucht, eine Abwertung zu erfahren und später das Gesicht der Öffentlichkeit verlassen zu müssen, auch wenn sich ein kleiner Aufwärtstrend beobachten lässt – sehr zur Freude der Hersteller von Sexspielzeugen.

Wie aber sieht es mit „Drogen“ aus ? Oder „psychischen Erkrankungen“?

Dem „Tod“, „Krieg“ „Rassismus“, „Altersdiskriminierung“ und „Altersarmut“?

Mir fallen noch mindestens ein Dutzend weiterer Begriffe ein: „Rentenversicherung“, „Kriminalitätsrate“, „Gewalt“.

Auch das Wort „Transparenz“ ist unglücklicherweise nicht so transparent, wie man vermuten dürfte…

Wie soll denn über diese Dinge gesprochen werden, wenn Sie nicht mehr Teil unseres Wortschatzes oder - noch schlimmer – Teil unseres Lebensbildes sind?

Denn für viele gilt ja wohl noch der Leitsatz: „Was mir nicht widerfährt, kann mich auch nicht betreffen, folglich kann es das auch nicht geben!“

Aber fragen Sie sich doch einmal, wie sich aus diesen ganzen Turbulenzen und täglichen Wortneuschöpfungen heraus jene Wörter fühlen müssen, die seit **JAHRHUNDERTEN** ein fester Bestandteil unserer Sprache sind, das Kommen und Gehen Ihrer Freunde erlebt und durchlebt haben, sich jetzt in unserer Zeit wiederfinden, die mehr Unsicherheit als Sicherheit vermittelt…

Und Ihre Seele nicht weder Inhalt noch Leben umfasst?

Diese kleinen, gebrochenen Wortseelen sind es nun, die den ganzen Ärger ausbaden müssen:

Sie werden verhöhnt, abgewertet und degradiert, es wird wahrlich kein Gutes Haar an Ihnen gelassen.

Sie bekommen aber keinerlei Chance zur Gegenrede – oder zu irgendeiner Rede.

Und hier stehe ich nun und frage Sie: Finden Sie das *fair*?

Ihr Sex würde das übrigens auch gerne wissen.

Ob Sie meine Aussage unterschreiben, sei Ihnen überlassen, aber ich definiere den Begriff *Fairness* etwas anders – und ganz sicher nicht ***SO!***

Lassen Sie mich noch einmal schnell zusammenfassen, was wir in unserem gemeinsamen Beratungsgespräch zu dritt gemeinsam erarbeitet haben:

Sie haben wohl lange nicht mehr über Sex gesprochen – wenn Sie das überhaupt schon einmal getan haben.

Wie geht es nun also weiter?

Sie brechen jenen Vertrag, den Sie mit „Tabu" ausgemacht haben, entbinden mich von der

Schweigepflicht und ich erzähle Ihnen, wie Sie dieses Tabu so brechen können, dass Sie es erfolgreich besiegeln können.

Und *ihr Sex* die wohl längst überfällige Entschuldigung erhält.

Drittes Kapitel: Weshalb wir unsere Worte nicht vorsätzlich missbrauchen dürfen

Wahrscheinlich kennen Sie diese unangenehme Situation:

Sie sitzen zuhause und genießen zur Abwechslung einen *ganzen* freien Tag zuhause zu. Sie räumen Ihre Wohnung auf, Sie putzen Ihre Tische, Schränke, sogar die überaus unbeliebten Fenster werden geputzt, denn 1x im Jahr haben Sie sich vorgenommen, dass an diesem einen Tag alles ordentlich und gereinigt sein soll, damit Sie den Abend in aller Gemütlichkeit verbringen können. Sie sind nun fertig mit Putzen und Wischen, suchen sich ein gutes Buch oder einen schönen Film, den Sie seit Ewigkeiten nicht mehr gesehen haben (und sich unterdessen fragen, weshalb Sie das denn so lange nicht mehr getan haben), setzen sich in Ihre persönliche Wohlfühlcouch und hoffen darauf, dass Nichts, wirklich **rein gar nichts** Ihnen diese ruhige und idyllische Atmosphäre zerstören kann.

„Das ist ein wirklich schönes Szenario, das er da zeichnet, das hätte ich auch gerne.“, mag der ein oder andere von Ihnen nun vielleicht denken.

Und wissen Sie weshalb Sie das denken?

Wahrscheinlich, weil Sie diese Ruhe und Idylle schon lange nicht mehr genießen durften.

Und wissen Sie, weshalb Sie es nicht durften?

Ich kann es Ihnen sagen:

Weil der liebe Gott die grandiose Idee hatte, neben der Fauna und der Flora auch Kinder und arbeitende Lebenspartner in die Welt zu setzen.

Jene widerspenstigen Kreaturen, die es im Wink eines Wimpernschlages schaffen jede, aber auch wirklich **jede** stille und bedächtige Sekunde vergessen zu machen.

Sie sitzen nun also in Ihrer Couch und hören, wie am Ende des Flurs ein Schloss klickt.

Ihre schlimmsten Befürchtungen und dunkelsten Ahnungen steigen hoch, aber Sie haben ja schließlich geputzt und etwas vorgesorgt…

Denken Sie.

Dann hören Sie, wie eine Person im unbeleuchteten Flur Ihre Schuhe auszieht und in das Schuhregal einräumt.

Sie kennen diese Geräusche exakt.

Jeden Tag hören Sie es erneut.

Dann Schritte.

Ein Mensch kommt durch die Tür, jetzt gibt es keine Zweifel mehr.

„Hallo Liebling.“, spricht eine Stimme.

Ihr Partner ist da.

Jetzt heißt es für Sie, Ruhe bewahren und Netiquette zeigen.

„Wie war dein Arbeitstag?“, lautet Ihre erste Frage.

„So weit, so gut“, denken Sie. Noch keine Spannungen hier.

„Alles Gut. Wie war dein Tag?“

Und an dieser Stelle im Gespräch gibt es nur noch zwei mögliche Ausgänge dieser Unterhaltung, die dem spannungsgeladenen Höhepunkt, der Peripetie eines klassischen Dramas gleichkommt:

Entweder Sie schaffen es, Ihren Partner davon zu überzeugen, dass Sie diesen freien Tag für das glückliche Zusammenleben ihrer beider Seelen und dem häuslichen Frieden zwischen Ihnen beiden geopfert haben…

Oder Sie sind Ihren ruhigen Abend los.

Was machen Sie in dieser Situation jetzt also ?

„Das ist doch glasklar. Ich sage meinem Partner, dass ich heute geputzt habe!“

Und Damit würden Sie sich gerne befreit sehen, habe ich Recht?

Ich finde es schön, dass Sie so optimistisch denken. Optimisten soll es zwischendurch auch geben, ohne sie wäre die Welt wohl nicht Opti, sondern nur *Mist*.

Nur sind Sie leider sind Sie nicht so schnell aus dem Schneider, wie Sie es gerne wären.

Aber probieren wir es, schließlich haben weder Sie noch ich etwas zu verlieren.

„Ich habe heute endlich einmal die Wohnung geputzt, Liebling."

„Das freut mich aber. Hast du auch die Wäsche gemacht?"

„Die...*WÄSCHE???*", entfährt es Ihnen in einem kurzen Moment der Überraschung

„Ja, die Wäsche. Darum hatte ich dich gestern doch gebeten."

Und es stimmt, darum hatte Ihr Partner Sie am Vortag wirklich gebeten. Ich sagte Ihnen, dass Sie nicht so einfach davon kommen

„Nein, die...an die Wäsche habe ich nicht gedacht..." stammeln Sie jetzt also in einem kurzen Moment der Hilflosigkeit.

„Aber das war wichtig! Ich brauche meine Arbeitshose", entfleucht es aus dem Mund Ihres Partners.

Vielleicht merken Sie schon, um welche der beiden Möglichkeiten es sich bei diesem Szenario handelt. Verabschieden Sie sich gedanklich schon einmal von Ihrem gemütlichen Fernsehabend.

„Nur weil du nicht arbeiten muss, heißt das *noch lange nicht*, dass andere Leute auch freigestellt sind und nichts tun müssen", ruft jetzt Ihr Partner.

Und dieser Satz passt Ihnen gar nicht.

Nicht nur Ihre Arbeit und die investierte Zeit, die Sie – an Ihrem freien Tag wohlgemerkt !– ins Putzen und Sauberhalten Ihrer gemeinsamen Wohnung gesteckt haben, werden herabgewürdigt,

NEIN!

Ihr sogenannter *Partner in allen Lebenslagen* nimmt sich auch noch das Recht heraus, Ihre ganze Tagesplanung als ein einziges „Nichtstun" zu bezeichnen, weil Sie *eine* Aufgabe, um die er Sie gebeten hatte, nicht erledigt haben.

Und Sie müssen sich jetzt seine schlechte Laune antun.

Ihr Launebarometer wird von so viel negativer Energie auch nicht positiv und schnell kommt es zu einer Konfliktsituation, in der auch die ein oder anderen Anfeindungen und Anschuldigungen Ihren Austausch finden.

Vielleicht können Sie als Leser sich in dieser Szene nicht wiedererkennen, sei es, weil Sie keinen

Partner haben oder weil Sie schlicht keinen Streit mit Ihrem Partner führen.

Dennoch kann ich mit einer 99%igen Sicherheit sagen, dass auch Sie mindestens eine Situation in Ihrem Leben hatten, in der Sie – in der Hitze der Gemüter – Dinge gesagt haben, von denen Sie hinterher zutiefst erschüttert waren (aber auch hier gilt: jegliche Angaben ohne Gewähr und Überprüfung seitens des Autors). Vor allem aber denken Sie an die Person, die sich mit den auf die Reise geschickten Dämonen bekriegen musste – denn Ihre Worte waren sicherlich verletzend und haben eine Menge Schaden angerichtet

Ich kann Ihnen auch sagen, dass auch Sie dieses Gefühl kennen, durch Worte geschlagen und verhöhnt zu werden – und es ist kein gutes.

Wenn es zu dieser oder einer ähnlichen Situation kommt, bemühen wir uns darum, dass unser Gegenüber das nötige Verständnis dafür aufbringen kann, in welcher emotionalen Verfassung wir uns zu dem Zeitpunkt der Eskalation befunden haben. Und sehr oft schaffen es unsere Mitmenschen auch, uns dieses Verständnis entgegenzubringen und unsere aufrichtig gemeinte Entschuldigung als Gewährleistung dafür zu nehmen, dass es in Zukunft nicht mehr zu derartigen Ausrastern und Emotionsausbrüchen kommen wird.

Aber ist das wirklich der richtige Weg?

Ist der Friede wirklich mit einem einfachen „*Es tut mir leid*“ besiegelt?

„Solange er sich entschuldigt, kann ich Ihm das auch nachsehen“, könnten Sie jetzt sagen.

Und in dieser Aussage steckt sicherlich auch eine Menge Lebensweisheit und Friedensbereitschaft.

Aber wenn Sie mich fragen, ist es in den meisten Fällen eben doch nicht mit einer einfachen Entschuldigung getan.

Man möchte es vor dem eigenen Partner, den eigenen Eltern, Freunden und Bekannten vielleicht nicht preisgeben und zur Sprache bringen, aber das Vertrauen scheint an solchen Tagen immer sehr in Mitleidenschaft gezogen zu werden.

Und ob Sie es nun bewusst zeigen oder unbewusst nur indirekt andeuten ändert nichts an der Tatsache, dass diese Worte, die so gezielt als Waffe missbraucht wurden, um die eigentliche Ursache der Auseinandersetzung und die eigenen missachteten Gefühle hinter Ihnen verstecken zu können – meist sind es nämlich tiefere Wunden, die wir hinter unseren Worten kaschieren wollen.

Da ist zwar die nicht gemachte Wäsche Schuld daran, dass wir unseren Partner als *egoistisches Arschloch* und ein *faules Stück* bezeichnen, doch lenken wir nur allzu oft von dem eigentlichen Problem ab: Dass wir und gegenseitig nicht ehrlich begegnen.

Stellen Sie sich vor, dass Sie den zuvor beschriebenen Konflikt schon des Öfteren austragen mussten und nach jedem Streit hat sich Ihr Partner oder Ihr Freund, geplagt von Reue und Schuldgefühlen bei Ihnen entschuldigt.

Können Sie erkenen, dass er die Seele dieser *Entschuldigung* vorsätzlich missbraucht, damit er Ihr Vertrauen zurückgewinnen kann ?

Und sehen Sie auch, dass Sie selbst dieser Entschuldigung irgendwann keinen Glauben mehr schenken können, weil Sie nicht authentisch wirkt?

Betrachten Sie nur einmal, wie Sie beide mit diesem Wort umgehen.

Wie Sie die Seele dieses hilflosen Begriffs nach und nach zu brechen versuchen.

Hat es das wirklich verdient ? Hat dieses Wort Ihnen derartig schlimme Dinge angetan, dass Sie es mit Ihren Handlungen und Taten mit diesem Maß an Brutalität zurichten müssen?

Und nun stellen Sie sich vor, dass Milliarden von Menschen auf diesem Erdkreis denselben Umgang mit diesem Wort pflegen.

Finden Sie nicht, dass man die eigene Sprache davor schützen sollte, für die eigenen Fehler,

Probleme und Unsicherheiten missbraucht zu werden?

Wäre es nicht stattdessen von Vorteil wenn es nicht um „die stinkende Wäsche", den „überlaufenden Müll" und „zerstreute Gegenstände", sondern um jene Dinge gehen würde, die hinter diesen Begriffsbeschönigungen stecken, geht?

Weshalb müssen Sie *Ihre Wäsche*, *den Müll* und *den Kram* vorschieben, um die wesentlichen Dinge zu verdecken?

Wollen Sie nicht über diese Dinge sprechen? Oder können Sie es womöglich gar nicht, weil Ihre Wesenszüge und Ihr Temperamet sich in den Vordergrund spielen?

Vielleicht aber geht es wirklich ausschließlich um diese Dinge... und Sie brauchten einfach etwas Gesprächsstoff. In diesem Falle soll Ihnen gesagt sein, dass es ***wirklich*** *wichtigere Themen gäbe,* über die Sie beide sich unterhalten könnten. Und das auch in einem anständigeren Gesprächston.

Wenn Sie sich aber dabei erwischen, dass Ihre Worte nun nicht die eigentliche Bedeutung des Wortes, sondern Gefühle wie Frust, Verzweiflung und Ärger transportieren, sollten Sie diese Worte aus Ihrem Kopf streichen und ergründen, welche Nachricht hinter diesen Worten steckt – und diese stattdessen aussprechen.

Denn sowohl Ihr Partner als auch Ihr Wortschatz haben Ehrlichkeit und Aufrichtigkeit verdient.

Und bevor Sie jetzt meinen, dass ich meine sentimentalen Empfindungen alle in dieses Kapitel stecke und dieses Buch mit diesem Satz das Happy End einläutet:

Meine Ausführungen sind noch nicht am Ende.

Ich sage also, dass Sie Ihre Worte nicht vorsätzlich missbrauchen sollen.

„Ähhh…ja, weiter? Der Name des Kapitels lautet. Auch. So."

Sie scheinen etwas Ungeduld im Lesen zu haben, also fasse ich mich kürzer und schreibe schneller.

Trennen Sie sich von diesem Beispiel. Denken Sie an Ereignisse, die Sie erlebt haben und in denen Sie Ihre Worte benutzt haben, um Ihre wahren Motivationen und Gedanken zu überspielen.

Haben Sie etwas gespürt, während Ihnen diese Worte aus dem Mund gefallen sind?

Hatten Sie beim Aussprechen dieser Worte schon die Boshaftigkeit in *hinter dieses Wort* gelegt oder kam es einfach *anders heraus, als Sie es gemeint hatten*?

Je früher Sie Sensibilität für diese Themen du fragen entwickeln, desto eher werden Sie verstehen, was es bedeutet, um die Seelen Ihrer Worte zu wissen und Sie auch mit Respekt, Anerkennung und Zuwendung zu pflegen.

Viertes Kapitel: Sich um das Seelenheil der eigenen Worte kümmern

Ich möchte Ihnen eine kurze Frage stellen:

Konnten Sie sich anlässlich der stattgefundenen Bundestagswahl zum Wählen durchringen?

Ja?

Dann bin ich ja beruhigt.

Die politisch Interessierten muss es irgendwo geben – und soll es auch weiterhin geben !

Nein?

Dann sind Sie entweder jung (denn „***Alle jungen Leute*** *sind bekanntlich politikverdrossen*“) oder können diesem ganzen Politikgedöns du Kladderadatsch nichts abgewinnen.

Oder aber es trifft beides auf Sie zu – ich kann das sagen, auf mich trifft *definitiv* beides zu.

„*Wen ich während der Bundestagswahl gewählt hätte, hätte man mir die Chance hierzu* gegeben“, fragen Sie ?

Wahrscheinlich die Nummer eines Notarztes, damit er mich für diesen Tag krankschreibt.

Sicherlich fragen Sie sich, weshalb dieses Kapitel den Titel „*Sich um das Seelenheil der eigenen Worte kümmern*“ trägt... und es jetzt um Politik geht.

Und wissen Sie, in meinem schlauen „*Wie-werde-ich-ein-guter-Autor-in-7-Tagen*“-Kurs habe ich gelernt, dass man das Interesse des Lesers dadurch steigern kann, indem man scheinbar zusammenhanglose Dinge in einen sinnvollen Zusammenhang bringt – am besten ohne dabei einen *Hänger* in der eigenen Logik zu zeigen.

Und wie bringe ich Ihnen am Einfachsten näher, wie man sich richtig um das Seelenheil der eigenen Worte kümmert?

Richtig!

Indem ich Ihnen zeige, wie man es am Besten *nicht macht*!

Ein gutes Gegenbeispiel ist doch überzeugender als ein schlecht gewähltes und unschlüssiges Beispiel zum Bestärken der eigenen Argumente, finden Sie nicht?

Dann lassen Sie mich erklären, weshalb *Politik* für mich ein Thema ist, mit dem ich **rein gar nichts**, und damit meine ich auch wirklich **überhaupt nichts** anfangen kann.

Für mich sind die Sphären, in denen Politik stattfindet, ein einziges Leichenschauhaus toter und massakrierter Worte, an deren Leid und Elend wir als Sprecher unserer Sprache uns ergötzen.

Und ich meine es nicht minder dramatisch, als ich es geschrieben habe.

Wenn ich Politik in einem Wort beschreiben müsste, dann würde mir wohl jedes Wort unserer schönen Sprache als mögliche Beschreibung in den Sinn kommen.

Und mit jedem meine ich wirklich ***jedes Wort***.

Sie könnten aus meinem Mund auch hören, dass ich Politik interessant, schön und als für mein Leben bereichernd erachte.

Nur eines werden Sie von mir niemals hören, nicht einmal unter Zwang und Folter könnten Sie mich dazu bringen, dass ich dieses Wort nur ansatzweise mit Politik in eine logische Verbindung bringen werde.

Transparenz.

Politik ist für mich nicht *transparent* – und das wird sie zu meinen Lebzeiten auch niemals werden.

Für mich ist ein Wort, das keine Seele hat mindestens so schwer zu verstehen und zu verkraften, wie ein Wort, dessen personalisierten Inhalt ich nicht nachvollziehen kann.

Auch Sie als Leser dieses Ratgebers müssen zugeben, dass die Politik Ihren oft zweifelhaften Ruf dadurch gewonnen hat, weil Sie sich vor Stilblüten, rhetorischen Pannen und Aussagen, denen es definitiv nicht nur „etwas“ an sprachlicher Prägnanz fehlt – wie unsere Kanzlerin jüngst in der „*Homo-Ehen-Affäre*“ zur Schau stellte – kaum mehr retten kann.

Für mich ist Politik ein einziges Schlachtfeld versehen mit übertoten und leblosen Worten, denn überall, wo man Ihr begegnet, werden seelenlose Worte weitergereicht, die schon vor Jahren und Jahrzehnten aus dem Leben geschieden sind und auf die trotzdem weiterhin eingestochen wird.

Tag für Tag, Mittagspause für Mittagspause und Debatte um Debatte.

Hierbei spielen noch nicht einmal Tages- und Nachtzeiten eine signifikante Rolle

Und scheinbar scheint sich niemand daran zu stören, dass wir an dieser Stelle als „*die heutige Gesellschaft*“ einen riesigen Massenmord (auf schlau: Genozid) durchführen.

Dieser Ausdruck „*der heutigen Gesellschaft*“ oder jene Bezeichnung „*unsere Gesellschaft*“ sind die perfekt *lebend-toten* Exempel, die ich für meine Überlegungen statuieren kann.

...

Boah...das waren jetzt aber viele schlaue Worte in einem Satz, müssen mir wohl aus der Tastatur entglitten sein

Dann sind Sie hier immerhin nicht der einzige Besserwisser.

Unsere Worte wurden in der Politik abgeschlachtet, von Generationen an Politikern degradiert, entstellt und heute sehen wir uns in politischen und gesellschaftlichen Verhältnissen, in denen jeder zweite, mit dem man ein *einfach ein normales* Gespräch führen möchte, nur über *„das Problem mit der heutigen Gesellschaft“* oder *„das Problem mit unserer Gesellschaft“* reden will !

Und Gott bewahre uns vor den Leuten, die ein Problem mit *„unserer heutigen Gesellschaft“* haben, denn was ist schlimmer als ein übergetötetes Wort?

Richitg!

Viele in einem Satz.

Und ich habe meine persönlichen Schwierigkeiten mit derlei Formulierungen und Äußerungen dieser Art.

Ist Ihnen schon einmal aufgefallen, dass jene Menschen, die von *unserer* oder von der *heutigen* Gesellschaft sprechen ausnahmslos **ALLE** eine Gemeinsamkeit besitzen, die auf den ersten Blick nicht ***erkennbar***, aber auf den zweiten Blick wie

eine Ohrfeige ins Gesicht nicht
mehr ***verkennbar*** ist?

Vielleicht hatten Sie bis jetzt das große Glück, dass Sie *noch* ***nicht*** mit diesen Menschen in Kontakt gekommen sind.

Und sollte dies wirklich der Fall sein, verdienen Sie meinen aufrichtigsten Respekt; Ihren Wohnort hätte ich auch gerne.

Diese Aussagen werden nämlich vornehmlich von (mitunter auch jungen) Leuten getätigt, die von *dieser* Gesellschaft sprechen, als wären sie **kein Teil von ihr.**

Und damit habe ich ein **ganz großes Problem.**

Bitte lassen Sie mich kurz einige Fragen an jene Leute richten, die sich dieser schweren Last schuldig gemacht haben, bevor ich auf den eigentlichen Punkt zu Sprechen komme – denn diese Chance möchte ich mir nicht nehmen lassen:

- Wenn Sie von der „*heutigen*“ oder „*unserer heutigen*“ Gesellschaft sprechen, müssten Sie irgendwo in Ihrer Vorstellung ein *Gegenbild* zu dieser Gesellschaft befinden. Dies könnte vielleicht ein anderes Land sein, das ein anderes Gesellschaftskonzept lebt oder vielleicht auch ein Modell, das Sie aus dem Geschichtsunterricht kennen und das sich in der Vergangenheit bewährt hat (von denen es aber wohl nicht so viele zu geben scheint...sonst wären Sie ja heute nicht unzufrieden)

Ich hoffe für Sie, dass Sie kein noch nicht gelebtes Konzept als "Beispielkonzept" nutzen, um Ihre Argumentation zu unterstützen, denn - ausgenommen Sie haben Jahrzehnte damit verbracht es in Partnerschaft mit studierten und fachkompetenten Leuten auszuarbeiten - ist dies einfach.
Nur. *Albern.*

Haben Sie dieses Gegenbild wirklich schon einmal *gelebt* **?**

Können Sie Erfahrungen aus Erster Hand teilen, die wirklich dafür sprächen, dass dieses

Konzept besser ist als jenes der *heutigen* Gesellschaft?

- Gehen wir davon aus, Sie könnten es. (Es könnte ja sein, dass Sie in der Vergangenheit Staatsbürger eines anderen Landes waren... oder aber Sie sind die Reinkarnation von Aristoteles)

Aus welchem Grund betrachten Sie sich nicht als Teil *dieser* Gesellschaft ?

Und wer ist für Sie denn *diese andere* Gesellschaft? Die deutsche Gesellschaft?

Die Gesellschaft der Musiker?

Oder doch eher die Gesellschaft der Spitzbärtigen?

Scheinbar scheinen Sie eine ganz konkrete Gesellschaft im Blick zu haben, aber das heißt nicht zwangsläufig, dass auch Ihr Gegenüber dieses Bild sieht – und das sollten Sie wiederum *sehen*

Sind Sie vielleicht ein Teil einer unter uns weilenden Parallelgesellschaft**?**

Aber auch an dieser Stelle müsste Ihnen klar sein, dass *wenn Sie tatsächlich* zu einer Gesellschaft innerhalb einer anderen Gesellschaft gehörten, Sie allenfalls von *der anderen* oder *einer anderen* Gesellschaft sprechen könnten - Sie sind ja kein Teil *unserer* Gesellschaft.

Zu guter Letzt möchte ich Ihnen diese Frage stellen:

- **Weshalb ziehen Sie es in erster Instanz vor, sich über** *diese/unsere/die heutige* **Gesellschaft zu beschweren anstatt sich weiterzubilden und Möglichkeiten zu suchen, sich** *aktiv in dieser Gesellschaft einzubringen***?**

  Ich habe in meinen Gesprächen nur selten erlebt, dass Menschen, die *von der* oder *über eine Gesellschaft* sprachen ein gutes Haar an ihr ließen.

  Das zeugt nicht wirklich von gutem Stil und bringt Ihnen auf Ihrem Konto geretteter Wortseelen kein Plus ein.

Denken Sie über Folgendes nach:

Keine Firma dieser Welt liest gerne Beschwerdebriefe, denn die meisten Briefe dieser Art sind hasserfüllt, negativ und schlecht geschrieben. Sie wird Ihren Brief aber dennoch lesen müssen, denn als gute Firma, die einen gewissen Ruf verdient, wird Sie sich dazu verpflichtet sehen.

Wieso also schreiben Sie nicht gleich einen Brief, in dem Sie *Verbesserungsvorschläge* formulieren?

Sie tragen z.B. zur Optimierung verkaufter Produkte bei, steigern dadurch vielleicht sogar den Umsatz dieser Firma, diese wird sich bei Ihnen bedanken und Sie haben Ihren Teil dazu beigetragen, dass die Qualität der Produkte und Güter hochwertiger ist, als sie es zuvor war.

Es gibt aber noch eine weitere positive Entwicklung, die nicht mit dem Marketing der Firma zusammenhängt:

Sie müssen nicht Schuld daran tragen, dass jene Mitarbeiter, die gezwungen sind den Brief zu lesen und den Inhalt ihrem Chef zu präsentieren, aufgrund Ihres Jähzorns einen schlechten Tag haben.

Vielleicht waren Sie beim Schreiben und Versenden dieses Briefes derart von Wut getrieben, dass Sie durch Ihre rote Brille (ich meine nicht die *rosarote* Brille) nicht sehen konnten, dass es ganz am Ende der Postleitung immer **Menschen** sein werden, die Ihre Zeilen lesen. Menschen wie Sie und ich, die verletzlich sein können und die Sie *durch Ihre Worte* ins Unglück stürzen könnten, mit einer relativ geringen Wahrscheinlichkeit, dass Sie jemals davon betroffen oder überhaupt davon hören werden.

Aber zurück zum ursprünglichen Thema.

Wir begehen hier einen Genozid an der eigenen Sprache, der eigenen Kultur und vergehen uns den an unschuldigen Wortseelen.

Diese Worte sind aber schon seit so vielen Generationen tot, dass es keine Chance mehr gibt, sie wiederzuerwecken.

„*Wie wir dieses Problem jetzt lösen sollen*“, fragen Sie mich?

Das fragen Sie mal lieber diejenigen, die für dieses ganze Chaos hier verantwortlich sind!

Aber wahrscheinlich sind die mindestens solange tot wie die Worte der Politik…

Ich habe Ihnen gesagt, dass Sie mit mir nicht über Politik reden dürfen, ich habe keine Ahnung und an dieser Stelle muss ich auch einfach plump sagen: Ich bin auch noch weit davon entfernt, mich darum zu bemühen, *eine Ahnung* zu bekommen.

Ich kann Ihnen aber dabei helfen, sich um das Seelenheil Ihrer eigenen Worte zu kümmern.

„*Jetzt wird es aber auch langsam Zeit, dass er sich endlich mit diesem Teil des Kapitelnamens beschäftigt!*“, rufen Sie jetzt vielleicht.

Es tut mir wirklich leid, dass ich etwas ausschweifend wurde, aber ich wollte meinen Standpunkt an dieser Stelle sehr ausdrücklich gesetzt haben.

Wenn es darum geht, sich um die gebrochenen Seelen des eigenen Wortschatzes zu fokussieren, ist es wohl wichtig zu erkennen, welchen *Wert* ein Wort für einen selbst hat und den *Schatz* im *Wort* zu finden.

Haben Sie Ihrem Partner gegenüber vielleicht etwas aggressiv gehandelt?

Vielleicht liegen Sie beide ständig im Streit und können sich auch nicht mehr auf ein vernünftiges Gespräch einlassen.

Könnten Sie in dieser Situation die Worte „*glückliche Partnerschaft*“ auf ein Papier schreiben…

...und wirklich von dem *Wert* dieser Worte überzeugt sein?

Sie können das?

Ich könnte es nicht.

Vielleicht haben Sie auch ein angespanntes Verhältnis zu einem Familienmitglied oder einem wichtigen Freund.

Würden Sie von sich selbst behaupten, dass Sie eine *„positive Beziehung“* zu dieser Person pflegen?

Wenn Sie kein positives Verhältnis zu dieser Bezeichnung haben, dann sollten Sie sich um das kümmern, was eigentlich schon längst überfällig gewesen zu sein scheint – eine ***Entschuldigung.***

Entschuldigung ist aber nicht gleich *Entschuldigung.*

Bevor wir uns über eine angemessenen Stil einer *Entschuldigung* unterhalten, würde ich Sie bitten, sich dieses Wort kurz auf der Zunge zergehen zu lassen.

Sie noch einmal dazu zu zwingen, ein Wort auf ein Papier zu schreiben, dass obendrein auch noch aus 14 Buchstaben besteht, wäre ja makaber. Wir sind hier immerhin nicht in der Schule.

Machen Sie sich aber trotzdem Gedanken über die Bedeutung des Ausdrucks, der hinter *einer Entschuldigung* steckt.

So einfach und banal es für Sie klingen mag, hinter dem Begriff der „Entschuldigung" steckt *„das Entschuldigen"*.

„Und...was soll mir das jetzt bringen?"

Das möchte ich Ihnen gerade erklären, deshalb schlage ich vor, dass Sie mich ausschreiben lassen und nicht ständig Ihre Gedanken vorschieben, die *ich* auch noch für Sie ausschreiben muss, damit Sie einmal merken, dass Ihre ständigen Unterbrechungen und Ihr Korinthenkackertum bis in die Gedankenwelt des Autors reicht.

Dass man sich nach einer Missetat entschuldigen soll, lernt wohl jedes Kind dieser Welt sehr früh in seinem jungen Leben. Durch diese Handlung wird es sich Feinde vom Leib halten und findet immer die passenden Worte, sollte es mal einen Blumenkübel umgeschmissen oder später (nach einem Drink zu viel) wieder einmal in die Blumen gekübelt haben.

Lassen Sie sich dieses Wort aber wirklich intensiv durch den Kopf gehen und fragen Sie sich, ob dieser Begriff wirklich der richtige Ausdruck für die dahinterstehende Bedeutung sein kann.

Sich selbst zu entschuldigen kann doch niemals der richtige Umgang sein, wenn man *selbst den Mist verbockt hat*, oder?

Sie brechen in eine Bank ein, entwenden mehrere 1000€ und kommen dann vor den Polizeischaren, die Sie als Bankräuber stellen wollen, auf die grandiose Idee, dass Sie sich einfach entschuldigen.

Denn das macht Unrecht ungeschehen, richtig?

Abgesehen davon, dass Sie wahrscheinlich noch nicht einmal mit der einfachen Idee eines Banküberfalls durchkommen würden, ohne unmittelbar nach dem Gedanken daran geschnappt zu werden, lässt sich dieses irrwitzige Denken auch auf kleinere Bereiche unseres Zusammenlebens mit unseren Mitmenschen übertragen.

Sie wurden auf einen Geburtstag eingeladen, müssen aber kurzfristig absagen, weil ihr Kind an diesem Tag leider erkrankt ist und Sie sich im Zuge Ihrer Sorge nicht trauen, es über den Abend alleine seinen Schmerzen ausgesetzt zu sehen.

Oder Sie haben am nächsten Tag Uni und wollen nicht schon wieder komplett verkatert und breitschädlig in den Vorlesungen sitzen. Sie wollen zwischendurch auch etwas lernen. Es geht ja irgendwie doch um die Zukunft – auch wenn das einem niemand sagt, während man sich in der Universität einschreibt…

In jedem Fall müssen Sie eine Entschuldigung für die eigene Absenz (Übersetzung von *schlau* zu *Deutsch*: Abwesenheit) aussprechen.

Wie etwas weiter oben angeführt, ist Entschuldigung nicht gleich Entschuldigung.

Und eine Entschuldigung ist auch durch das „sich entschuldigen“ nicht getan.

Wie klingt es denn für Sie, wenn „Sie sich entschuldigen“, obwohl Sie Unrechtes getan und eine andere Person geschädigt haben ?

Sollten nicht Sie „um Entschuldigung bitten“, damit die oder der Geschädigte Zeit hat, sich zu überlegen, ob er Ihnen „eine Entschuldigung erteilen möchte“?

Waren Sie nicht auch schon einmal geplättet…

Als Ihnen eine „vermeintlich aufrichtig und ehrlich vorgetragene Entschuldigung“ nicht erteilt oder Ihre Entschuldigung“ nicht angenommen wurde? Und das obwohl Sie sich so viele Gedanken gemacht und unglaublich viel Zeit investiert haben?

Auch wenn es schwer fällt, das zu hören:

Niemand ist verpflichtet, „Entschuldigung“ auszusprechen, wenn er oder sie sich noch immer verletzt fühlt.

Wenn Ihre der Inhalt Ihrer Worte schon seit langem unabhängig von der äußeren Form existiert und Sie Ihr Gegenüber sichtlich schwer verletzt haben…

Dann wird auch eine „*Entschuldigung*“ diese Worte nicht ungesagt machen. Und das solle niemals eine Erwartung sein, mit der wir unsere Mitmenschen bedrängen.

Eine ausgesprochene *Bitte um eine Entschuldigung* kann jedoch der Rechte weg sein um eine Aussöhnung oder wenigstens eine Aussprache zu erwirken.

Eine aufrichtige Entschuldigung – und die sollte sich auch an Ihre missbrauchten, fehlgenutzten und falsch gedeuteten Worte richten, wenn Sie sich ihrer Pflege und Fürsorge annehmen.

Und hier muss ich leider sagen, dass Sie sich wirklich mit ***allen*** Worten beschäftigen sollten, die Ihnen wichtig sind und die Sie als ein Teil Ihres *Wortschatzes* betrachten.

„Wer die Zeit für solche Dinge hätte?“

Anstatt hier dieses Buch zu lesen, könnten Sie sich beispielsweise mal ***darum*** kümmern, man muss seine Zeit zwischendurch nämlich noch sinnvoll nutzen!

Fünftes Kapitel: Weshalb unsere Worte nicht immer abgekürzt werden möchten

Oder würde es Ihnen gefallen, wenn man Ihnen

bei jeder Begegnung einen Finger abnehmen würde?

Sie finden meinen Vergleich *übertrieben*?

Ach, ich hatte ja ganz vergessen:

Worte geben keine Widerworte, mit denen kann m an das ja machen!

Sie finden, dass ich mich *in etwas hineinsteigere*? Dass Worte ja nicht *wirklich leben*?

Jetzt hören Sie mal!

Ich habe mich so sehr darum bemüht, dass Sie

eine Beziehung zu Ihrem Wortschatz aufbauen

und sich wieder mit Ihren Worten aussöhnen und

das ist Ihr Dank dafür?

Dankbarkeit scheint ihnen auch ein Fremdwort zu sein…

Sie sollten etwas mehr Vertrauen in *meine* Worte haben! Denn ich kürze meine Worte nicht bis zur Unkenntlichkeit, sodass ich weniger Zeit mit Ihnen verbringen muss.

Im Gegenteil.

Ich schreibe ein ganzes Buch.

Und wissen Sie, weshalb ich ein ganzes Buch und nicht ein kryptisches Manuskript bestehend aus un verständlichen und wenig sinnvollen Abkürzungen schreibe?

Damit jedes Wort seinen rechtmäßigen Platz in die sem Schriftstück findet.

Im Gegensatz zur Form einer Whatsappnachricht oder einer E-Mail schafft ein Buch reichlich Platz für Worte.

Ich kann es mit einer unbegrenzten Anzahl an Wor tseelen bestücken – und vermittle jedem Wort und Ausdruck denselben *Wert*

Zwischen „Hdgdl", der GEZ-Steuer, HDTV mit Alle m und scharf sollte wenigstens einer sich darum kümmern und bemühen, dass diese Akronyme ausgeschrieben werden!

Ich meine, fragen Sie sich doch einmal, was eine Textnachricht mit den Buchstaben "Hdl" bedeutet.

"Na *Hab'dich lieb*, das weiß doch wohl jedes Kind!" , rufen Sie jetzt vielleicht in Ihrem Wahn und Anfall der Besserwisserei.

Aber soll ich Ihnen sagen, welches Kind das nicht weiß

Ihr Wortkind.

Und ich sage Ihnen auch, warum es dieses Wortkind wahrscheinlich auch niemals wissen oder verstehen wird.

Weil dieses Wissen - streng genommen - nicht zur Grundausbildung "angehender Wortrekruten zur Ausübung und Erhaltung der eigenen Sprache" gehört.

Die Abkürzung "Hdl" ist aber zugegebenermaßen eine sehr etablierte Kürzung dieses Ausdrucks (ab er Sie sollten sich mal Gedanken darüber machen, weshalb diese und viele andere Abkürzung noch keinen Einzug in unsere etablierte deutsche Recht schreibhilfe, nämlich den hierzulande bekannten "Duden", gefunden haben)

Aber wissen das auch die Worte?

Vielleicht hat unser Bundesfußballtrainer diese Abkürzung im Engpass des eigenen Zeitmanagem entsauch einmal seinem ehemaligen Schützling und Kapitän der deutschen Fußballnationalmannschaft zugerufen.

Und da wird er mit "Hdl" sicherlich nicht auf die seelische oder gar körperliche Liebe mit ihm verwiesen haben (obwohl auch das unter Kollegen weder Schmach noch Blöße zeigen würde)

Vielleicht meinte er mit diesem kurzen "HdL" einfach "Halt dich, Lahm!" (und auch hier lernen wir wieder "Alles klein, steht nicht fein, setze deine

Zeichen ein."; denn "Halt dich, Lahm!" wirkt nicht wie "halt dich lahm")

Denn einem Teamkameraden wünscht man doch nichts sehnlicher, als dass er die vor ihm liegenden 90 Minuten heil und unbeschadet übersteht.

Es gibt aber noch weitere Beispiele, die in ihrer Eindeutigkeit nur eindeutig mehrdeutig zu verstehen sind.

Damit wir bei unserem Beispiel der Text- und Web nachrichten bleiben:

In den Weiten des Internets findet stößt man ab und an auf eine Abkürzung mit etwas zwielichtigem und unschönem Inhalt, nämlich jenen mysteriösen Zeichen "HdF"

Für viele mag das eine eindeutige Aufforderung darstellen, dem eigenen Mund, den eigenen Gedanken oder auch den eigenen Fingern, die über sie Tastatur tippen, einhalt zu gebieten - denn wie sollte man anders auf die Aussage "Halt die Fresse" reagieren?

Aber meint diese Person wirklich, dass man die "Fresse" halten solle?

Und vor allem: wessen Fresse?

Wenn aber "hdf" anstatt "HdF" in einem Forum

steht, steckt dann auch wirklich diese Bedeutung hinter dieser Abkürzung?

Oder vielleicht doch eher "halt dich fett!" als Ausdruck dafür, dass man sich cool und vielseitig halten soll - oder eben wirklich, dass man die eigenen Fettpolster halten soll, sodass man diese ja nicht verliert!

(Manche Menschen knuddeln eben lieber mit Speck als mit Stock!)

Ist ein sogenannter "vlog" jetzt etwa ein neues Videotagebuch (von angelsächsisch: Video-log) oder steht diese Abkürzung doch eher für *den "Verband für Lebensmittel ohne Gentechnik e.v."* - beides gibt es und habe ich mir nicht ausgedacht.

Steht der oft falsch verwendete Begriff des *"LCD-Displays"* nun für "Liquid crystal Display-DISPLAY) oder doch eher für "Lasercounter...Displays"?

Und ist HIV (NICHT HIV-Virus) jetzt eine Krankheit oder doch nur ein Tippfehler aus

"High ihm Vluggzeug!"?

Die Antwort ist: Das können sie nicht wissen.

Und ich meine nicht Sie als Leser (sonst hätte ich Sie ja großgeschrieben!), sondern "sie", die Worte.

Denn die haben es sich ja nicht ausgesucht, gekürzt zu werden.

Wenn wir nicht ständig versuchen würden, unseren eigenen Worten ein Arm oder ein Beim abzuknöpfen und es wie auf dem Schwarzmarkt für wenig Gegenleistung unserer Lebenszeit zu verkaufen, dann hätten wir auch die Chance, etwas Dankbarkeit von unseren Worten zu erhalten –

und könnten uns vor einer Reihe an redundanten Akronymen schützen (so heißen diese krummen Abkürzungen, das können Sie gerne googlen)

Dankbarkeit in Form von Werterhalt und nicht zuletzt auch Ehrlichkeit und Authentizität.

Und für die folgende Rechnung müssen Sie noch nicht einmal im Matheunterricht aufgepasst oder jemals eine Mathestunde in Ihrem Leben besucht haben:

Wenn unsere Worte es uns danken, dass wir Sie schätzen - in ihrer Länge, ihrem Inhalt und ihrer Seele - was glauben Sie ergibt das, wenn andere Menschen unsere Worte hören?

Ich helfe Ihnen etwas auf die Sprünge:

Andere Menschen werden Ihren Worten Glauben schenken.

Und wenn Sie Ihren Worten Glauben schenken können und merken, wie umsichtig und bedacht Sie mit Ihren Worten umgehen, denken Sie eventuell auch über Ihren eigenen Wortschatz nach und überdenken Ihre Beziehung zu Ihrem Worten.

Wenn Sie mir nicht glauben, dann versuchen Sie es einfach und fangen ein Gespräch mit einer beliebigen Person an - dabei müssen Sie diese Person nicht zwangsläufig kennen.

Es wäre nur hilfreich, wenn Sie beide eine Sprache sprechen würden, die Sie auch beide verstehen.

Noch besser wäre es, wenn diese Sprache Ihrer beider Muttersprache ist - denn zu keiner Sprache steht man so nah wie zu der eigenen Muttersprache.

Sind Sie im Einklang mit Ihren Worten?

Können Sie das auch ehrlich an Ihr Gegenüber vermitteln?

Hört es Ihre Worte und reagiert entsprechend auf Ihren *"schönen Stil"*?

Dann haben Sie alles richtig gemacht!

Sollte das noch nicht der Fall sein, dann werden wohl entweder Sie oder Ihr Gegenüber (oder mitunter sogar beide) noch einige Dinge mir Ihren Worten zu besprechen haben.

Aber es lohnt sich.

Falls es Ihnen noch nicht bewusst geworden ist: Ich schreibe hier ein ganzes Buch mit Worten über Worte. Und Sie haben es bis hierher gelesen. Also wenn ***DAS*** nicht Beweis genug ist, dann weiß ich auch nicht, wie ich als Autor Ihnen weiterhelfen kann.

Sechstes Kapitel: Fremdwörter nicht wie fremde Wörter behandeln

Ich würde Sie bitten, mir zu Beginn dieses Kapitels folgende Frage zu beantworten:

Was genau sagt Ihnen das Wort *„Inkrementalität“*?

Können Sie sich unter diesem Begriff etwas Konkretes vorstellen, ohne Ihre Finger über Ihre Tastatur zu bewegen und diesen Ausdruck zu googlen?

Wie steht es um Ihre Kenntnisse, wenn es um schöne und stilvolle Mittel geht, die dem Schreibstil etwas Abhilfe schaffen können (kurz: Stilmittel)?

Sind Ihnen Begriffe wie *Asyndeton, Adynaton, Ellipsen* und *Parallelismen* geläufig oder würden Sie solche irrelevanten Fachbegriffe als unnützes Fach wissen abspeisen?

Bevor Sie mich an diesem Punkt missverstehen:

Ich möchte Sie nicht dazu konvertieren, dass Sie Ihren Verstand mit Wissen vollstopfen, das in Ihrem beruflichen oder privaten Leben keinerlei Verwendung finden wird, dieser Aufgabe haben sich andere Institutionen angenommen, die dieses Konzept mehr oder weniger erfolgreich *„vorleben“*.

Das wäre allenfalls vergeudete Speicherkapazität Ihres Denkapparats dort oben.

Aber finden Sie nicht, dass ein paar schlaue Sprüche und angemessene Ausdrücke Ihr persönliches

Sprachempfinden geschniegelt und aufpoliert wirken lassen?

Dieses Gefühl genießen zu können, wäre eine schöne Geste der Wertschätzung für die Worte eines anderen – dummerweise läuft das mit Fachbegriffen nicht ganz so einfach:

Denn meistens versteht sie keiner, niemand kann einem sagen, wie man sie schreibt und wenn sie irgendwo auf dem Weg doch einmal fallengelassen werden, dann werden ihnen oft unmittelbar nach dem Erscheinen besserwisserische Hintergründe und zynischer Hohn unterstellt.

Bevor man Anklagen dieser Art stellt, sollte sich jeder Sprecher einer Sprache eigentlich im Vorfeld fragen, ob es sich wirklich ***immer*** um eine Welle der „Neunmalklugheit“ handelt oder ob nicht vielleicht einfach die Schätzung der eigenen Sprache im Vordergrund steht.

Denn auch Fachbegriffe sind ein Teil *unserer* Sprache. Die Sachverhalte, die sie zu translatieren versuchen, sind oft vermutlich etwas komplexer als z.B. die Bedeutung hinter dem Wort *„Haus“ (*das jedoch auch als ein *Komplex* verstanden werden kann), trotzdem bestand zu einem bestimmten Zeit punkt in der Sprachgeschichte die Notwendigkeit, diesen Sachverhalt durch einen bedeutungsrichtig en Ausdruck zu benennen.

Und wenn allein der Sachverhalt *nicht einfach nachvollziehbar* ist, kann es der Ausdruck wahrscheinlich auch nicht sein.

Wenn Sie mir und vielen anderen Leuten auf diese m Erdboden einen Herzenswunsch erfüllen möchten, dann probieren Sie, *Fremdwörter nicht wie fremde Wörter zu behandeln*, sondern Ihre Einzigartig keit und ihren einzigartigen ***Wert*** zu schätzen.

Und sollten Sie mit einem der in diesem Kapitel genannten Begriffe nichts anfangen können, würde sich jetzt eine Gelegenheit für Sie bieten, ihren Wert kennen- und schätzen zu lernen.

Siebtes Kapitel: Weshalb die eigenen Worte auch nicht die Worte eines anderen werden sollen…und können

Wer kennt Sie nicht und hat Sie nicht schon einmal erlebt, die Papageien unserer Gesellschaft?

Diejenigen, die sich einer Mehrheitsmeinung anschließen, weil sie ebendas ist:

Eine Mehrheitsmeinung. Und auch wenn sie es nicht ist, schließen sie sich der Meinung an, die vermeintlich einer Mehrheit zu gehören scheint.

Aber versuchen Sie sich einmal vorzustellen, was in einer Datenbank geschieht, wenn es eine hohe Nachfrage auf ein Buch gibt, das geforderte Buch aber schon verliehen wurde?

Sie können es nicht mehr rausgeben. Und die anderen gehen leer aus.

„Für diese Erkenntnis hätte ich Ihre Autorenworte nun nicht gebraucht!"

Da mögen Sie recht haben, aber Sie lassen mich meine Gedanken auch nicht fortführen.

Vielleicht wird sich die Datenbank aber dazu entscheiden, eine neue Auflage dieses Buches zu drucken (dachten Sie wirklich, dass eine *Datenbank* auch Ihre Originalauflage verleihen?) und entsprechend der Nachfrage herauszugeben,

Sie wissen aber selbst, was passiert, wenn ein Original etwas abgeändert und umgeschrieben wird:

Es entsteht eine schlechte Kopie. Und niemand mag schlechte Kopien der Gesellschaft, das sei Ihnen gewiss.

Denn selbst, wenn wir versuchen würden, die Worte eines Anderen unsere eigenen nennen zu können, müssten Sie doch selbst verstehen, dass wir nicht alle dieselben personalisierten Worte haben können, dann wären es *doch nur dieselben Worte*.

Haben Sie Kinder?

Nein, ich meine nicht das Beispielkind aus dem ersten Kapitel, sondern *tatsächliche* Kinder, physisch lebendige Kinder, die nicht nur in Ihrer Vorstellung existieren.

Kennen sie dieses Spiel zwischen Kindern, indem ein Kind etwas sagt, ein anderes Kind seine Worte wie ein Papagei nachäfft und nachsagt und diese Handlung das erste Kind wiederum derart empört, dass es sich dazu entschließt, dem anderen Kind „*das Maul zu stopfen*"?

Und wenn es dafür ein Kissen braucht, dann braucht es dafür eben ein Kissen.

Oder ein Spielzeug.

Auf den Kopf.

Der Zweck heiligt die Mittel. Ultima Ratio first!

Haben Sie sich aber schon einmal Gedanken darüber gemacht, weshalb es uns als ein menschliches Privileg erscheint, dass *„unsere“* Worte auch unsere Worte bleiben?

Wie wollen Sie sich sonst erklären, dass es Kindern so wichtig ist, ihre eigenen Worte zu behalten, dass sie andere Kinder auch dafür schlagen würden?

Und was geschieht, wenn diese Kinder später einmal groß werden – denn das müssen die ja schließlich auch einmal.

Stellen Sie sich vor, Sie hörten dieselben Floskeln als Kind in endloser Dauerschleife von Ihren Eltern.

„Putz deine Zähne“, *„Zieh dich an“*, *„Sei gut in der Schule“*, *„Mach keinen Ärger“*.

Das sind Lebens- und Grundweisheiten, die jeder in seinem oder ihrem Leben schon mindestens öfter als ein einziges (und nicht einzigstes!) Mal gehört haben.

Und das hatte einen Grund, den man leicht nachvollziehen kann:

Eltern bemühen sich darum, dass Ihre Kinder diese Grundsätze „internalisieren“ (=verinnerlichen), um diese ethischen und moralischen Werte in unserem späteren Leben wiedergeben und erfolgreich ausführen zu können.

Ein edler Vorsatz, finden Sie nicht?

Dummerweise scheitert auch dieser gute Wille meist an der Ausführung – und ich meine nicht die der Kinder.

Wenn Erwachsene oder Eltern probieren Kindern etwas beizubringen, dann lassen Sie sich hierbei oft von Ihren eigenen Lebensgrundsätzen tragen.

„Von ihren... *eigenen* Lebensgrundsätzen?“

Es freut mich, dass Sie als aufmerksamer Leser direkt zu meiner schlussendlichen Pointe gekommen sind.

Aber hat Ihnen eigentlich schon einmal jemand gesagt, dass Ihre ständige „Aufmerksamkeit“ und Besserwisserei schlecht für *mein* Image und *MEIN* Buch sind?

Ich sollte hier die Fragen stellen, falls Ihnen das noch nicht aufgefallen ist.

...

Aber weiter im Text.

Denn das, was Sie so schlau formuliert haben, ist ein Problem, das wenigen bewusst ist...und noch seltener als Problem erkannt wird.

Jene Worte, die wir unseren Kindern zu vermitteln versuchen...

Sind das *tatsächlich* unsere *„eigenen Worte“*?

Denn schließlich waren unsere Eltern, die uns diese Grundsätze beigebracht haben ja auch einmal die Kinder Ihrer Eltern und unserer Großeltern.

Die wiederum hatten auch einmal Ihre Eltern (unsere Urgroßeltern), die wiederum auch Ihre eigenen Eltern hatten (unsere Ururgroßeltern).

Und ich könnte hier wirklich ein ganzes *Urgeschäft* eröffnen, um Ihnen meinen Standpunkt näher zu bringen:

Sind Ihre eigenen Worte denn *Ihre eigenen Worte*?

Oder haben Sie nur bis jetzt angenommen, dass Sie diese Worte als Ihre eigenen Worte übernommen haben ohne darüber nachzudenken, wo denn diese Worte eigentlich herkommen?

Haben Sie den Inhalt dieser Medien personalisiert und auf Ihre Bedürfnisse und Notwendigkeiten zugeschnitten und angepasst?

Versuchen Sie sich ein Modell zu vergegenwärtigen, in dem die Zeit sich wie ein endlos drehendes Zahnradwerk immer weiterdreht.

Streuen wir nun etwas „Sand in dieses Getriebe“ in Form der Worte, die Jahrzehnte über Jahrzehnte an die eigenen Kinder und Kindeskinder von den eigenen Großeltern und Urgroßeltern übermittelt wurden.

Anfangs wird sich noch nicht sehr viel tun, aber mit dem Voranschreiten der Zeit (Achtung, Wortspiel!), wird auch dieses Getriebe irgendwann den Geist aufgeben.

(Die Metapher vom „Sand im Getriebe“ tut wirklich jeder Erklärung Genüge. Wie gut, dass es im Deutschen für jeden Sachverhalt ein passendes Sprichwort gibt!)

Sie müssen jetzt nicht die Sorge haben, dass irgendwann die Zeit stehenbleiben wird und wir uns dann ***ur***plötzlich in einem zeitlosen Raum wiederfinden werden – das ist schließlich bloß ein Modell.

Nun malen wir mal nicht den Teufel an die Wand.

Sie können sich aber sicherlich vorstellen, dass an diesem Modell etwas dran ist – sonst würde es hier nicht drinstehen.

„Ja, wo etwas dran ist, muss auch etwas drin sein…“, mögen Sie vielleicht denken.

Und da haben Sie recht.

Alte Aussagen und Denkweisen, die wir nicht mehr auf ihre Gültigkeit und Aktualität überprüfen können, sind in einem stets laufenden Getriebe nicht besonders förderlich – weder für den Inhalt der Aussage noch für das Getriebe.

Da ist es doch absolut verständlich, dass in dem Zeitalter der Moderne und des Fortschritts solche Lebensweisheiten nur schwer unterzubringen sind.

Aber sagen Sie jetzt ja nicht, dass ich Ihnen vorschreibe, wie Sie Ihre Kinder zu erziehen haben – dafür gibt es schließlich andere (und ich habe keine Kinder, hieraus einen Erziehungsratgeber zu machen steht mir fern)

Bevor sie mich jetzt aber angehen und meine Fähigkeiten als Autor kritisieren, da in meinen Augen *„alles Alte schlecht ist"*, lassen Sie mich nur eine Sache klarstellen:

Eine Rückbesinnung auf alte und fundamentale Werte ist nichts Verwerfliches oder gar Schlimmes, wenn Sie anderen Menschen hierdurch keinen Schaden zufügen.

Ich möchte Ihnen nicht verbieten, Ihr Kind nach Ihren Wünschen und seinen Bedürfnissen zu erziehen. Nur sollten Sie, ganz gleich ob als Elternteil oder schon erwachsenes Kind (für unsere Eltern werden wir wohl immer Kinder bleiben) sobald Ihre eigenen Gedanken und Ihr logisches Denkvermögen gefragt sind auch Ihren *personalisierten Inhalt* wiedergeben – und am Besten auch noch begründen, weshalb das *Ihre* Meinung ist (und nicht die 50 Jahre alte Meinung ihrer Großeltern)

Denn bevor Sie sich dazu entscheiden, stupide irgendwelche Worte in beliebiger Reihenfolge zu wiederholen, die Sie irgendwann *„rein zufällig“* in dieser Reihenfolge gehört haben, sollten Sie sich um das Wohlergehen dieser Worte erkundigen und sich um die Pflege dieser Worte kümmern.

Wenn Sie das nicht können, sollten Sie sie wahrscheinlich auch nicht benutzen.

Sich die Worte eines anderen in den Mund zu legen, macht Sie deshalb noch lange nicht zu *„Ihren eigenen Worten“* – und das ist auch überhaupt nicht möglich.

Ich hoffe, dass Ihnen meine Beschreibung aus dem Kapitel „Weshalb wir unsere Worte nicht vorsätzlich missbrauchen dürfen“ noch irgendwo im Kopf rumgeistert, aber selbst, wenn das nicht mehr der Fall ist (ich kann Sie verstehen, um mein Gedächtnis ist es leider auch nicht sehr gut bestellt), helfe ich Ihnen gerne etwas auf die Sprünge.

Auf welcher Grundlage wollen Sie ein Medium, das sich abertausende Menschen vor Ihnen ausgeliehen und mit Ihren persönlichen Gedanken gefüllt haben, Ihr Eigentum nennen, bloß weil Sie es gerade *auf Lebenszeit* verwenden?

Wir sprechen zwar nicht gerne darüber, aber auch unser Leben ist endlich. (wenngleich sich einige sich manchmal so verhalten, als wäre das nur eine Mär!)

In unseren Augen und vor dem öffentlichen Bild *„unserer Gesellschaft“* findet das Sterben nur in Rettungswägen, Krankenhäusern oder dem persönlichen Sterbebett im Kreise der engsten Verwandten und Freunde ab. Wenn einmal von einem Mord, einer Schießerei oder einer räuberischen Tat mit Todesopfern berichtet wird, dann löst diese Meldung schnell ein Welle des Entsetzens in der allgemeinen Bevölkerung aus.

Und trotzdem ist der Tod ein Teil des Lebens.

Und auch Sie werden einmal sterben müssen.

Vielleicht noch nicht jetzt, vielleicht auch nicht nächste Woche (außer, wenn sich heute schon Anzeichen dafür finden lassen), aber in letzter Instanz wird das Leben auch Ihren Körper irgendwann verlassen.

Und wenn es dann soweit ist, was wird dann noch von Ihnen übrigbleiben?

„Was fällt mir denn alles so ein…Meine Kinder, mein Mann, mein Haus, mein Geld…“

Nein, nein, nein. Cut.

Sie denken an meiner Frage vorbei.

„Meine sterblichen Überreste vielleicht…?

Ja, die natürlich auch.

Wenn wir uns schon so ehrlich darüber unterhalten, dann kann ich Ihnen ja auch ganz ehrlich sagen:

Egal, wie hässlich Sie sich zu Lebzeiten fanden. Ich kann Ihnen garantieren, dass Sie sich ***niemals*** so hässlich fühlen werden wie knappe zwei Jahre nach Ihrem Todestag.

Da hilft dann auch kein Anti-Aging mehr.

Aber zurück zu meiner Frage – und natürlich auch zu der langersehnten Antwort:

Ihre Worte werden Ihren Körper überdauern.

„…und schon wieder eine absehbare Antwort. Ich will mein Geld zurück, der erzählt mir nichts Neues."

Ok, stopp.

Jetzt mal Tacheles:

Haben Sie dieses Buch wirklich mit der Überzeugung gekauft, dass ich als Autor Ihnen alle Gedanken in den Kopf und alle Worte in den Mund lege?

So funktioniert das nicht.

Sie müssen auch eigenverantwortlich an Ihrer Meinungsbildung arbeiten.

Wenn Sie schon auf diese Antwort gekommen waren, bevor Sie meine Zeilen gelesen haben, dann ist das gut für Sie und Ihren Denkapparat da oben.

Sie müssen mich aber trotzdem meine Arbeit führen lassen, denn durch Ihre ständigen Unterbrechungen liest sich dieses Buch auch nicht schneller !

Ich hoffe, das ist jetzt klar: ***Hier*** lässt man den anderen ausreden.

Also...wo war ich jetzt?

Die von Ihnen geliehenen Worte werden Ihren Körper überdauern:

Sie waren schließlich lange genug am Leben und haben wahrscheinlich auch allzu gerne „gequasselt wie eine Quasselstrippe“.

Auch lange nach Ihrem Tod sind Worte, die Sie in im Mund hatten noch im Umlauf.

Freunde, Bekannte und Verwandte werden noch Jahre nach Ihrem Ableben von Geschichten und Anekdoten erzählen, die Sie zu Lebzeiten einst so fröhlich und lebhaft durch die Gegend spuckten.

Aber glauben Sie, dass nur einer der Menschen, der Ihre Geschichten nacherzählt, die von Ihnen geliehenen Worte auch nur annähernd mit so viel

Inhalt und Esprit füllen kann, wie Sie es getan haben?

Also, wenn Sie das schon nicht glauben…

Wieso sollte es sich um eine andere Situation handeln, „nur“ weil Sie gerade am Leben sind?

Wir können die Worte eines anderen nicht zu unseren eigenen machen.

Und ***DAS*** wissen selbst Kinder.

Stellen Sie sich also nicht klüger, als Sie es wirklich sind und behaupten Gegenteiliges.

II. Die Zwischenrede

Erstes Kapitel: Das Schweigen als Akt des Sprechens

Wer jetzt glaubt, dass lediglich ausgesprochene Worte leibhaftig und lebhaft sein können, der irrt – aber im ganz großen Stil.

Worte können auch unausgesprochen für nette Unterhaltungen und Gespräche sorgen.

Hier finden Sie ein weiteres kleines Gedankenspiel, das nun nicht ganz so weit hergeholt ist, darauf haben Sie mein Wort!

Sie befinden sich auf einer öffentlichen Toilette und…

wie sage ich das jetzt *sprachlich prägnant*…

Halten Ihre *persönliche Sitzung* ab.

Und bevor Sie mich hier angehen: Jaja, ich als Autor dieses Buches weiß es

Dass ich hier nicht ausschreibe, was *genau* gemeint ist, scheint in einem absoluten Kontrast zu jener Aussage zu stehen, die ich im zweiten Kapitel lang- und breitgetreten habe.

Ich behalte mir *dennoch* das Recht vor, von meiner künstlerischen Freiheit Gebrauch zu machen, dies ist *nicht* verboten und vielleicht auch zu Ihrem Wohle gedacht – denn alleine durch das Lesen ***eines*** Buches kriegt man die eigenen Schamgefühle und auch das Fremdschämen nicht unbedingt sofort in den Griff.

Heben Sie sich Ihre Besserwissereien bis zum Ende des Buches auf.

Als Sie diese Räumlichkeiten betraten, schien sich außer Ihnen niemand am stillen Örtchen aufzuhalten, deshalb haben Sie sich kurzerhand dazu entschlossen „Alles zu geben". Und mit *„Alles"* meine ich ***ALLES***.

Sie widmen sich nun also Ihrem *Geschäft,* als Sie plötzlich etwas hören

Urplötzlich hören Sie…

Eine Tür.

„Eine…*Tür…*aha…sehr interessant."

Ja, eine Tür.

Und es handelt sich bei dieser Tür selbstverständlich nicht um irgendeine Tür.

Das wäre zu schön und es wahrscheinlich auch nicht wert, eine Beispielsituation daraus zu machen.

Es handelt sich bei dieser Tür um jene der Nachbarkabine dieser öffentlichen Toilette.

Hatte ich erwähnt, dass dieses öffentliche Water Closet (kurz: WC) mehrere Kabinen besitzt?

Sollte ich das unterschlagen haben: Jetzt wissen Sie es.

Ihre schlimmsten Ängste und Befürchtungen steigen in Ihnen auf. Unsagbares umtreibt Sie und lässt Sie hoffen, dass es sich bei diesem Geräusch nur um eine Putzkraft handelt, die sich unauffällig Ihrer Arbeit zuwendet und möglichst bald auch wieder den Weg zum nächsten Klo findet.

In Ihrer Angst und Verzweiflung ducken Sie sich so weit hinunter, dass Sie durch den kleinen Spalt zwischen den Kabinen spicken können.

Und Sie sehen…

Füße.

Ein Paar.

Und eine heruntergelassene Hose.

Panik macht sich breit.

Zwischen Ihnen und der noch unbekannten Gestalt in der Nachbarzelle liegt nur eine dünne Wand aus eine silikonüberzogenen Schicht langer Kohlenwasserstoffketten, die als wahlweise Duroplaste, Thermoplaste oder Elastomere vieles sind – nur nicht unbedingt schalldicht.

Oder eine geruchsneutralisierende Wirkung besitzen.

(Für diejenigen unter Ihnen, die nicht zu irgendeinem Punkt in Ihrem Schuldasein den Chemie Leistungskurs oder 4-stündig Chemie gewählt haben: Gemeint war eine Wand aus Plastik)

Und gedanklich wird Ihnen das schon in jenem Moment zum Verhängnis, in dem Sie die Füße und die heruntergelassene Hose erblicken, denn Sie sind nicht nur zu zweit.

Ihr Darm meldet sich.

Er würde gerne Teil dieser gemütlichen Runde sein.

Er beginnt zu rumoren, auf sich aufmerksam zu machen…

Und plötzlich, als die Stille geht, ein kleines seichtes Lüftchen weht.

„**MIST!**", das könnten Sie in dieser Situation wohl laut sagen,…

…wäre aber unvorteilhaft, denn niemand möchte sich nach diesem „Erstkontakt" auch noch durch den Klang der eigenen Stimme verraten.

Aber vielleicht hat Ihr *Sitznachbar* diesen unangenehmen „Hörfurz" im Ohr auch einfach ***über***hört.

Dann hätten Sie ja nochmal Glück gehabt.

Ihr Darm aber ist ein erbarmungsloser und hartnäckiger Verhandlungspartner, der sein *Geschäft* versteht – und das will er Ihnen auch heute *spürbar* beweisen.

Ein langer Wind, ein kurzes „Plopp“ - und alle Ihre Hoffnungen sind dahin.

Diesen Beweis können Sie weder ungehört noch „ungerochen“ werden lassen.

Ein trügerischer Moment des Schweigens tritt ein und Ihnen wird sogleich bewusst:

Jetzt geht's um die Wurst.

Für diese Situation gibt es nämlich nur zwei mögliche Ausgänge:

Entweder Sie warten, bis Ihr Nachbar sich von seinem Thron erhebt und die Räumlichkeiten (möglichst ohne Kommentar) verlässt…

Oder Sie hoffen, dass ihm Selbiges im Sinn steht und er durch Ihren *„Einsatz“* seine Berührungsängste verloren hat.

In jedem der oben gezeichneten Szenarien können Sie sich aber gewiss vorstellen, dass Sie beide ein neues Gesprächsthema haben werden – nur eben nicht miteinander.

Oder könnten Sie sich vorstellen, über diese Dinge mit ***irgendjemandem*** zu reden?

Angenommen, Sie träfen sich am Waschbecken und würden in ein Gespräch verwickelt werden:

„*Hey. Gutes, seichtes Lüftchen von dir. Für den Abgang verdienst du auch meinen Respekt. Mein Like hast du!*“... und Ihre Wege würden sich nach einem letzten Händedruck auf ewig scheiden.

Und dass ohne den Namen oder die eigene Facebookseite vermarktet zu haben.

Das wäre tragisch und würde wahrscheinlich niemandem von uns passieren, denn dieses Gespräch wäre im höchsten Grade unangenehm und nicht durchzustehen – und das nicht zuletzt durch den miefigen Gestank im Raum.

Deshalb belässt man es doch lieber bei einem Gespräch ohne Worte, in dem sich jeder *seinen Teil denkt.*

Sie sehen also, dass auch unausgesprochene Worte von einer anderen Person aufgefasst und interpretiert werden können. Und Sie müssen sich dabei noch nicht einmal anschauen.

Versuchen Sie Ihrem Verstand zuzuhören und zu erkennen, welche Kraft hinter Ihren Worten stecken muss, wenn Sie selbst durch das Schweigen noch *hörbar* sind.

Dann müsste Ihnen ja bewusst werden, dass diese Kräfte ausgesprochen noch um einiges stärker wirken können – und dazu noch mit zahlreichen Nebenwirkungen…

Zweites Kapitel: Alter vor Schönheit war einmal…

Im Zeitalter der Moderne gilt: *Schönheit gleich(t) Alter* . Denn wem ist es nicht auch einmal so ergangen, dass man versucht hat durch das durch das eigene makellose Aussehen das Alter etwas zu *retuschieren*.

Dem einen mag das etwas besser gelungen sein als einem anderen, aber unterm Strich lässt sich doch eine merkwürdige Entwicklung feststellen:

Während sich vor nicht allzu langer Zeit doch so viele noch den Stolz des Alters auf der Brust (oder im Gesicht) trugen, ist der Wahn an Verjüngungskuren, „Anti-Aging-Cremes“ und *Tipps für ein jüngeres und vitaleres Erscheinungsbild* proportional zur Anzahl der Abnehmer dieser Produkte.

Wie soll sich *das Alter* dabei fühlen?

Es wird für all die schrecklichen Dinge verantwortlich gemacht, die doch eigentlich nur mit seiner Bedeutung zusammenhängen.

Und könnte mir eine Person bitte erklären, weshalb man *im Alter* nicht mehr vital oder gar *schön* sein kann??

Und wieso gibt es dieses Sprichwort in der deutschen Sprache überhaupt?

Die deutsche Sprache hat zwar nützliches Werkzeug in seiner Sprichwortkiste…

Mit diesem Sprüchlein scheint sie sich jedoch etwas *weit aus dem Fenster zu lehnen.*

Können alte Menschen und Gegenstände nicht schön sein?

Heißt das, dass nur schön sein kann, wer oder was nicht gleichzeitig alt ist?

Ist ab einer bestimmten Altersgrenze dann *Schicht im Schacht*?

Diese Annahme finde ich überholt – und ich kann Erfahrungen aus erster Hand liefern.

Zumal es sein kann, dass jüngere Menschen vielleicht im Durchschnitt etwas fitter sind, als Ihre etwas älteren Artgenossen in der Gesellschaft, so kann ich Ihnen versichern:

Es gibt Sie auch unter Jugendlichen und jungen Erwachsenen, die sogenannten *Kartoffelgesichter*.

Jene Lichtgestalten, denen man auch bei Nacht nicht unbedingt auf offener Straße begegnen möchte.

Ich zähle mich auch dazu.

Und übermäßig sportlich bin ich übrigens auch nicht.

Tägliche Spaziergänge in die Küche und zurück ins Bett gehören zu meinem gut strukturierten Tagesplan. Dieses Buch schreibt sich nicht von alleine – und zu viel Zeit an der frischen Luft ist nicht gut für meine Lungen, denen durch das plötzliche Übermaß an Sauerstoffzufuhr wahrscheinlich ein Kollaps drohen würde.

Stellen Sie sich also nicht so an und lassen das Alter aus dem Spiel.

„...“

Sie finden nicht, dass *Sie sich anstellen*, sondern dass ich mir *etwas zusammenreime*?

Das lasse ich mir nicht zweimal sagen.

Vor nicht allzu langer Zeit - ich vermute aber, eben doch **VOR** der Revolution des Internets - schien es höflich, ein offensichtlich betagteres Mitglied der Gesellschaft durch die Anredeformen *Sie* oder *Ihnen* seinen Respekt zu zollen - und noch mehr sogar:

Es galt, den Altersunterschied der unterschiedlichen Parteien anerkennen zu können.

Dass eine junge Frau einen älteren Herrn (egal, ob 5 oder 50 Jahre älter) siezte, konnte durchaus bedeuten, dass sie sein langes Leben und seine Erfahrungen würdigte - denn egal, wie man es dreht und wendet: Er hatte den Erdboden vor ihr betreten und auch 5 (oder 50) Jahre mehr auf dieser Erde verbracht

Ob er in dieser Zeit letztlich auch mehr erreicht hatte, das ist eine Frage, die an dieser Stelle keinen Platz findet.

Auf diese höfliche und sehr Ehrehrbietungsvolle Anredeform konnte er aber auch mit Stolz und sich Siezen *lassen*.

Seit einigen Jahren lässt sich aber ein Trend beobachten, in dem es immer häufiger Leute zu geben scheint, die sich diesem Stil nicht mehr bewusst sind oder schlimmer noch

Menschen, die durch diese höfliche Anrede ihr eigenes Jugendbild gefährdet und ihre Persönlichkeitsreche verletzt sehen.

Es kommt zu Situationen, die wirklich das Fremdschämen einiger Parteien erwecken, wenn zum Beispiel an der Supermarktschlange eine Mutter mit ihrem Kind kurz vor der Kasse ihren Pfandbon verliert, man sich ein Herz fasst und diesen der Dame zurückbringen möchte (die derweil nichts von ihrem Verlust ahnt), sie mit einem freundlich aufgesetzten Lächeln und den Worten: "Entschuldigung, Ich glaube, das gehört *Ihnen*." anspricht...

Und das genau der falsche Satz war.

"***Was*** *haben Sie da gerade gesagt*??? *Sehe* ***ICH*** *schon* **SOOOOOO** *alt aus*?", ruft sie empört durch den Laden...

Und vermutlich genießen Sie im nächsten Moment die Aufmerksamkeit der Ladengäste und Kassiererinnen.

Erkennen Sie sich in dieser Dame wieder?

Und auch als Mann dürften Sie sich an dieser Stelle ausnahmsweise einmal mit einer Frau identifizieren, als ein Teil jener Menschen, für die das Siezen eine Beleidigung und Diskriminierung an der eigenen Person darstellt.

Sollten Sie sich tatsächlich zu dieser Art von Menschen zählen, dann bitte ich Sie höflichst darum, dies nicht aufkommen zu lassen, während ***wir*** uns in einem Gespräch befinden, denn im Gegensatz zu Ihnen würde ich gerne einmal in meinem Leben gesiezt werden. Leider bin ich hierfür zu jung - und unglücklicherweise sieht man mir man junges Alter auch noch an.

Drittes Kapitel: Texte mit Allem *und* scharf ?

Jetzt kommt eine Witzfrage, für diejenigen unter Ihnen, die sich gerne einen guten Lacher erlauben m öchten:

Was haben Texte im Internet und der oft gegessene *„Döner“* gemeinsam?

Man bestellt Sie immer gerne *„mit Allem und scharf“* – und dann fehlt am Ende eben doch irgendwas.

Was ich damit meine, fragen Sie?

Ja nun,

Beim Döner ist das wohl nicht allzu schwer zu vers tehen.

Dass am Ende vielleicht Zwiebeln fehlen oder die viel bestellte *„weiße Soße da drüben“* (auch wenn wir ***extra*** auf die Soße hingewiesen haben), kann schließlich auch dem „renommiertesten“ Dönermeister im Ort passieren.

Im Internet findet man diese „Schusseligkeit“ zuhauf:

Auf der Surfwelle des Internets begegnet man häufig kleingeschriebenen Worten, interessanten und kreativen Wortneuschöpfungen, die man aufgrund der kurzfristig ausgefallenen *Spacebar*-Taste aber erst auseinanderfriemeln muss, damit sich die ganze Wahrheit hinter diesen Wortgiganten entpuppt.

#Lifewithoutspacebar

#Ohnegehtsimmerbesser

#Werkeinelangenhashtagslesenwillhatpech

#Noroomforhaters

Wer glaubt, dass Nachrichten wie diese von Menschen kommen, die für gleiche Rechte und #nohate plädieren, dem soll Folgendes gesagt sein:

Das Internet funktioniert anders.

Denn während es schon außerhalb des Internets oft genug an sprachlicher Prägnanz und „*Texten mit allem* ***und*** *sogar der passenden Unterscheidun g zwischen ß und ss mangelt*“ (Deutschunterricht lässt grüßen!), gibt es dieses „*Phänomen*“ selbstverständlich auch im Internet.

Nur in etwas krasserer Form – und mit ziemlich heftigen Konsequenzen.

Wer Facebook, Youtube, Instagram und Twitter regelmäßig verwendet, dem dürfte aufgefallen sein, dass es auf diesen Seiten schnell zu einer Art *Lagerbildung* kommt, sobald verschiedene Meinungen im vermeintlichen „*Safe space*“ aufeinander treffen:

Das erste Lager eröffnet sein Plädoyer damit, dass es mit einer geäußerten Aussage oder Meinung nicht konform ist und auch gerne etwas zu diesem Thema beisteuern würde.

Unterdessen hat sich längst ein zweites Lager formiert mit der werten Aufgabe versehen, sich um die Verteidigung Ihrer Meinung oder der Meinung einer anderen Person und für dessen *„Rechte"* einzustehen. Vielleicht kennen Sie dieses Szenario von den Seiten, auf denen prominente Persönlichkeiten Ihre Bilder, Videos und Geschichten veröffentlichen.

Schnell entsteht eine hitzige Debatte darüber, wessen Sichtweisen nun „die richtigen", „wichtigen" und „vertretbaren" Meinungen sind.

Und das ist auch Teil einer gesunden Gesprächskultur.

Das beliebte Sprichwort *der Ton macht die Musik* findet hier aber keine angemessene Anwendung, denn im Internet hört wohl jeder nur *seine eigenen Töne.*

So kann es mitunter auch passieren, dass der ein oder andere vielleicht den richtigen Ton nicht mehr einzusetzen weiß und sein *digitales Gegenüber* nicht mehr *Mitmensch*, sondern nur noch als diese schwarzen Zeichen auf seinem hellen Desktop wahrnimmt.

Und auch die Plattform, auf der er schreibt, nimmt das wahr; und löscht seine Memoiren *kurzerhand.*

Doch dieser *kurze Akt des Löschens* ist relativ.

Man darf nämlich nicht außer Acht lassen, dass das Internet im Gegensatz zu vielen anderen „*Teilen dieser Welt*“ zu **jeder** Zeit vollbesetzt und und hochaktiv ist. Das sind jedenfalls die Nutzer.

Während sich Menschen um Meinungen streiten und sich darum bekriegen, wer denn nun Recht behält und Sieger dieses unsinnigen Wettstreits um *freie Meinungen* ist, bildet sich abrupt ein drittes Lager, dass es sich als „Retter des Internets“ (scherzhaft oft *Social Justice Warriors* oder *SJW* genannt) sehr zu Herzen nimmt, die streitenden Parteien zu beschwichtigen.

Blöd ist es nur, wenn Youtube, Facebook und Co. Sich dazu entschließen, die Nachrichten des zweiten Lagers zu löschen – in der Hoffnung, dass dadurch etwas Ruhe und vielleicht sogar etwas Harmonie entstehen könnten.

Was diese Plattformen jedoch nicht verstehen (oder geschickt versuchen zu verschleiern), ist die Tatsache, dass wir Menschen sture Wesen sind, die – wenn es darauf ankommt – auch dort Streit suchen, wo keiner ist.

Wer glaubt, dass diese Lagerbildungstheorie hier ihr Ende findet, dem ist wahrscheinlich nicht bewusst, ***wie*** stur und uneinsichtig wir sein können, sobald wir uns unbeobachtet und „unangreifbar“ fühlen.

Denn tatsächlich gibt es dann noch Menschen, die sich über die gelöschten Kommentare und jene andere Menschen, die empört auf diese reagieren, derart empören können, dass auch deren Kommentare gelöscht werden. Und die gibt es auch in mannigfaltiger Ausgabe.

In meinen Augen sind jene Menschen sogar die aggressivsten Social-Media Junkies, denn auf diese Art der Auseinandersetzung gibt es keine Form der Rationalität, die einen Kontakt zu Ihnen herstellen könnte – und das auch noch zu den katastrophalen Rechtschreib- und Zeichensetzungs “***kenntnissen***“.

Vielleicht finden Sie ja, dass dieser Titel kaum mit dem Inhalt des Titels einhergeht, aber auch ich muss mich den neuen Trends und fortlaufenden Geschäftsideen beugen.

Das sogenannte *„Clickbaiting“* (etwa *Klickköder*, wenn man Wikipedia glauben schenken darf), erlaubt es mir, Ihre Aufmerksamkeit zu erlangen, ohne dass Sie auch nur eine Zeile dieses Kapitels gelesen haben.

„Tolle Idee!“, denken Sie jetzt vielleicht.

Die Idee ist aber gar nicht so toll – und die Umsetzung ist es sogar noch viel weniger, denn durch dieses Konzept schaffen es eben jene Menschen, über die ich so lange berichtet habe, tatsächlich noch einen weiteren sinnlosen Grund für Ihre absolut fehlgeleiteten Aggressionen zu finden.

Bitte gestatten Sie mir, Ihnen zum Abschluss diese s Kapitels einen kleinen Auftrag mitzugeben:

Sollte Ihnen in ein Mensch begegnen, dessen einziges unbestreitbares Argument seine Fähigkeit zu mStreiten ist (ganz gleich ob in der digitalen oder in *unserer realen* Welt), raten Sie ihm, einen kleine n Gemüsegarten anzulegen und seine Wut in die Züchtung von Tomaten zu investieren. Sollte Ihn das nicht überzeugen, dann empfehlen Sie ihm dieses Buch.

Tun Sie dies aber **NUR,** wenn er sich wirklich mit dem Gedanken der Tomatenaufzucht beschäftigt und ganz von ihr abgelassen hat:

Dann kann er nämlich nicht behaupten, Sie hätten ihm keine reizende Alternative angeboten.

Viertes Kapitel: Weshalb die Zukunft nicht in der Gegenwart steckt

Wissen Sie…

Wir sollten uns kurz eine Auszeit nehmen. Das ständige „sich um Worte kümmern“ ist auf Dauer auch etwas anstrengend. Ab und an sollte man sich von den eigenen Gedanken und Worten lösen und sich eine kleine Lesepause gönnen. Legen Sie dieses Buch zur Seite und versuchen Sie einfach kurz zu träumen. Versuchen Sie ohne Worte zu träumen – nicht vergessen: Worte brauchen auch Schonung -und ausgehend von den Bildern in Ihrer Vorstellung etwas zu schwelgen.

Lösen Sie sich gedanklich von dem Moment, indem Sie sich zum jetzigen Zeitpunkt befinden und beginnen Sie mit Ihrem versierten Blick in die Zukunft zu schauen (denn wer blickt nicht gerne mit ein-em Auge in die Zukunft?)

Stellen Sie sich vor, wie Ihr Leben in 5 Jahren aus sehen könnte. Wahrscheinlich werden Sie versuchen, sich Ihr Leben auf Basis der Ihrer schon er reichten Meilensteine vorzustellen.

Ich kann Ihnen aber versichern, dass es zur Abwechslung auch schön sein kann, sich von den eigenen materiellen Errungenschaften zu trennen und sich allein auf „das scheinbar Unmögliche“ zu konzentrieren.

Wäre es wirklich unmöglich, würden wirnicht ständig an daran denken, das müssen Sie sich eingestehen.

In Verhältnissen, in denen selbst unser Zeitmanagement sein Zeitmanagement nicht mehr überblicken kann. In einer Zeit, in der wir schon Kita Plätze für unsere ungeborenen und noch längst nicht geplanten Kinder verbuchen und reservieren müssen.

Eine Zeit, in der *„Freizeit“* tatsächlich nur noch ein Wort ist und dessen Bedeutung in der Hast, in der ich diese Zeilen schreibe, vermutlich vollkommen verlorenging.

Vielleicht sind spiegeln diese Schilderungen auch schon Ihre *gegenwärtiges* Leben wider und lassen Ihnen nur noch die Möglichkeit, um von einer anderen, vielleicht sogar einer besseren Zukunft zu träumen.

Dieses Kapitel soll kein Roman werden, sondern einzig und allein den Zweck erfüllen, Ihnen eine Verschnaufpause zu gönnen und Zeit zum *Träumen* zu gewähren.

Mir ist es trotz der Funktion dieses „Ratgebers“ auch meine persönlichen Empfindungen und Hoffnungen einfließen zu lassen – und Träume haben wohl schon immer zu meinem Leben gehört.

Deshalb möchte ich Ihnen sagen, dass es erlaubt sein darf, die eigenen Träume und Erwartungen an die Zukunft unabhängig von Ihren jetzigen Lebens umständen und Verhältnissen fließen zu lassen.

Es wäre doch schrecklich, wenn wir nicht einmal in unserem Denken und Träumen frei von Zwängen und den hiesigen Umständen sein dürften.

Ich glaube nicht nur an Meinungsfreiheit, sondern auch an die viel zu selten diskutierte *„Freiheit des eigenen Denkens"* – denn wo sollten wir letztlich fr ei sein, wenn wir nicht einmal unseren Träumen un d Wünschen Freiheit gewähren können?

Ich hoffe, dass Sie Ihre Gedanken loslassen und auf Sie einwirken lassen können, ganz gleich, ob es Ihnen scheinbar an „Ernsthaftigkeit" oder „Bodenständigkeit" fehlt:

Denn nur wer den eigenen Boden verlässt, ist in der Lage, den Rahmen der eigenen Möglichkeiten umfassend erfassen zu können.

Wenn Ihnen jemand eine andere Rede einbläuen möchte, können Sie ihm getrost sagen, dass auch *die Zukunft* nicht in *der Gegenwart* steckt. Zur Not lassen Sie ihn diese Worte einfach buchstabieren, spätestens hierbei sollte auch Ihr Gegenüber diese Nachricht verstanden haben.

Fünftes Kapitel: Auch Worte können Musik für unsere Ohren sein

Sie kennen doch sicherlich dieses Gefühl, das Musik uns verleiht und mit welcher Leichtigkeit sie es vermag, mit Ihren Tönen unsere Seelen zu rühren.

Dabei ist es ganz egal, ob Sie nun die wohltuenden und melodiösen Klänge Mozarts oder von Bach genießen oder es vorziehen sicke Beats und elegante (Deep) House Tracks à la Kygo,

Nu Aspect (feat. Tru Concept, wenn ich Ihnen einen Tipp geben darf) und DJ GARRY zu hören, denn *Musik unterscheidet nicht zwischen den Hörern*, nur zwischen den Tönen, die ihr zugrunde liegen.

Und wie auch die Musik, die uns umgibt und unser e Seelen erfreut, können es auch "*die richtigen Worte wissen*", unsere Seelen mit ihren Seelen zu verbinden.

Rufen Sie sich doch bloß einmal ins Gedächtnis, wie schön ein „*Ich liebe dich*" für Ihre Ohren klingt, wenn Sie von der einen Person kommen, der Sie Ihr Leben anvertrauen möchten.

Sanftmütig, lieblich und voller Freude und Ehrlichkeit können diese Worte, von den richtigen Menschen ausgesprochen, etwas Schönes,

Großartiges und Weltbewegendes auslösen (und wenn es nur die kleine Welt in den eigenen vier W änden betrifft).

Sie glauben mir nicht?

Dann können Sie sich sagen lassen, dass auch das komplette Gegenteil von *Liebe* – namentlich *Hass* – ebenfalls Weltbewegendes auslösen kann. Der Hass auf die eigenen Geschwister, der Hass auf die eigenen Klamotten oder jener zermürbende Hass auf den eigenen Vorgesetzten (glücklicherweise kann ich hiervon aber noch *keine* Lieder singen) hat wohl schon einige unserer persönlichen *Welten bewegt* - und erschüttert.

Haben Sie jene Erschütterungen in Ihrem Leben schon einmal erlebt?

Hat Sie ein *„Ich bin gerne mit dir zusammen"* von einem Freund (oder sogar *Ihrem* Freund) derart gefreut, dass es alle *„Mach mal deinen Kram"* wettmachen konnte, die Arbeitskollegen, Familienmitglieder und Bekannte, die *nicht in Ihren Schuhen stecken* in Ihrem Zuge der Nörgelei und Besserwisserei zuwarfen und damit nicht nur Ihre Seele, sondern auch die Seele dieser Worte verletzten?

Je tiefer diese Verletzungen gehen und je öfter wir diese Worte in dieser Reihenfolge zu hören bekommen, desto schwieriger wird es, diesen Worten *ernsthaft* Gehör zu schenken – vielleicht haben Sie diese Erfahrung auch selbst machen müssen.

Eigentlich ist dies kein rechter Weg, um sich mit dem Innenleben dieser Worte zu beschäftigen – ein ***gerechter*** schon gar nicht.

Aber haben wir die Zeit uns mit dem rechten Umgang unserer Worte zu befassen, wenn wir uns selbst *ungerecht* behandelt sehen?

Wie also können wir es schaffen, dass Worte nicht *Worten* gleichen, sondern dass auch verletzte Worte *in den Ohren klingen können?*

Es mag von einem Autor etwas lapidar gesagt wirken, aber der erste Schritt ist, nicht nur die Worte *zu hören*, sondern auch die Bedeutung hinter diesen *Worten* zu hören.

Als Sprecher Ihrer Sprache werden Sie - im Gegensatz zu einem Pianisten oder einem Symphonieorchester - jedoch auch *zwischen den Hörern* unterscheiden.

Es wird vermutlich jeder, der Ihnen *zuhört* auch Ihre Worte verstehen können (sollte er dieselbe Sprache sprechen), aber *nicht jeder* wird auch dieselbe Bedeutung hinter Ihren Worten hören, weil er (oder sie) schlicht und ergreifend eine andere Person ist, als Sie es sind.

Zwar lag diese Erläuterung etwas auf der Hand, doch gilt es trotzdem sich kurz mit diesen Aussagen zu beschäftigen, damit Sie sich überlegen können, *weshalb* Worte wie rockige, lustige oder sehr tiefgründige Musik klingen können und entsprechende Emotionen hervorrufen können.

Hierzu würde ich Sie gerne dazu auffordern, ein beliebiges Stück Ihrer Wahl anzustimmen.

(Sie müssen keine falsche Scheu zeigen, auch das bleibt unter uns)

Versuchen Sie, sich im Rhythmus der Musik zu bewegen, die Melodie in Ihrem Kopf mitlaufen zu lassen und sich ausschließlich auf dieses Stück zu konzentrieren.

Sollte es sich bei diesem Stück um eines handeln, mit dem Sie persönliche Erinnerungen verbunden, dann wird Ihnen diese Aufgabe wahrscheinlich von der Hand gehen.

Probieren Sie aber, trotz der bekannten Melodie, dieses Stück *neu* zu entdecken und sich auf die die Gefühle zu konzentrieren, die es in Ihnen hervorhebt.

Sind Sie in diesem Moment glücklich, traurig, ermutigt oder gar am Boden zerstört?

Oder haben Sie womöglich sogar ein Wirrwarr aus all diesen Möglichkeiten entwickelt?

Die Musik vor dem inneren Ohr zu *hören,* erleichtert den Einstieg in die Welt menschlicher Gefühle, deren Ordnung sich im Chaos findet. Die sprichwörtliche *Gefühlsachterbahn* ist es, die uns erst mit diesem Teil unserer Person verbinden kann – und dabei ist der persönliche Musikgeschmack erst einmal zweitrangig.

Bei einem Fest dieser Art freut sich nicht nur das Ohr; es scheint, als würde jede einzelne Note dieses eine Aufwertung erfahren und sich grazil in den Zusammenklang mit den restlichen Noten einfügen.

Wäre es dann nicht auch denkbar, dass jeder Satz, den wir in unserem Leben zuhause, in der Schule oder auf der Straße in einem netten Plausch verloren haben, ein kleines *Werk* aus einzelnen Noten darstellt, die für sich schon gesprochen schon reichhaltig sind, jedoch im Kanon mit anderen Worten über Wohl- oder Missklang des Satzes entscheiden können?

Könnte es auch in unserer Sprache etwas vergleichbares zu Dur und Moll-Konstruktionen in der Musik geben?

Tatsächlich besteht unser Wortschatz aus Worten, die wir im Laufe unseres Lebens schon oft verwendet haben.

SEHR OFT.

Und trotzdem bleiben es dieselben Worte, die jedoch in unterschiedlichen Konstellationen auch unterschiedliche Bedeutungen und Funktionen aufweisen.

Im Fachbereich der Musik verhält es sich ähnlich:

Musik besteht aus jenen Noten, die ihr zugrunde liegen. Und die wurden im Laufe der letzten Jahrhunderte häufig verwendet.

SEHR HÄUFIG.

Und trotzdem handelt es sich immer um dieselben Noten (vorausgesetzt, sie stimmen auch!), die aber in unterschiedlichen Konstellationen unterschiedliche Bedeutungen und Funktionen aufweisen.

Und vor allem unterschiedliche Gefühle erzeugen.

Nennen Sie mich einen *weltfremden Esoteriker*, aber für mich kann *das* kaum Zufall sein.

Lassen Sie sich diese Worte durch den Kopf gehen.

Oder halt, ich habe sogar eine bessere Idee:

Lassen Sie diese Worte *auf Sie wirken* und versuchen Sie zu ermitteln, ob Sie die aufgekommenen Gefühle mit einem Musikstück assoziieren können.

Vielleicht ist das der beste Weg, um meine Gedanken *spürbar* werden zu lassen.

Sechstes Kapitel: Lügen haben kurze Beine – aber auch kurze Beine können schnell rennen

Da wir es so gerne von Sp*richwörtern* haben, finden Sie hier auch ein passendes zu diesem Kapitel:

„*Wer einmal lügt, dem glaubt man nicht, wenngleich er auch die Wahrheit spricht.*"

Wenn Sie es mir gestatten, in meiner These weiterzuverfahren, dass Worte ein Medium sind, dessen personalisierte Bedeutung und versteckte Aussage es für den Gesprächspartner oder Rezipienten zu verstehen und entschlüsseln gilt…

Was *genau* sind dann *„Lügenworte"?*

Bezeichnen wir Lügenworte als eine Art „Trojaner" (oder auch *Alternative Fakten,* wem dieser Ausdruck in diesem Jahr schon einmal begegnet ist), die als Software zwar existent sind und scheinbar einen Inhalt vermarkten…

Dieser Inhalt aber komischerweise nicht aufrufbar ist und prompt Schaden auf der eigenen Festplatte anrichtet.

(Wie oft wurde im vergangenen Jahrzehnt eigentlich diese „Trojaner-Metapher" zur Verdeutlichung angewendet? Wahrscheinlich wird das langsam alt und braucht ebenfalls Anti-Aging…)

Wenn wir also das Seelenmodell darauf übertragen, dann wären Lügenworte demnach „*Worte ohne Seelen*“.

Und ich muss Ihnen sagen, dass ein Wort ohne Seele für mich persönlich schlimmer und härter zu verkraften ist, als ein Wort mit einer gebrochenen Seele – auch wenn das Eine die unweigerliche Folge des Anderen ist.

Es ist aber deutlich leichter auszusprechen.

Denn zu einem Wort, das keine Seele hat und mit dem wir keine direkte Verbindung herstellen können, hat man auch keine persönliche Beziehung, das kann man *auch einfach dahersagen*

Lassen Sie sich von mir sagen, dass dies kein korrekter Umgang mit diesem Wort ist.

Ein Wort ohne Seele ist wie eine leblose Hülle, gleich einem Menschen, der keine Gefühle, keine Motivation und keine Lebenslust zeigt und auf seine Mitmenschen nur wie eine weltferne, fremdgesteuerte Hülle wirkt…

Und zu diesem Menschen möchte man unter Umständen auch keine direkte Verbindung pflegen – auch wenn diese Person eine ehemals zentrale Rolle im eigenen Leben gespielt hat.

Sie können das bestimmt nachempfinden.

Allgemein wird schließlich die Meinung vertreten, dass Lügen kurze Beine haben und schlussendlich immer ans Licht kommen werden.

Man muss aber bedenken, dass auch kurze Beine schnell rennen können.

Und wer schnell läuft und wenig spricht, von dem hört man die Wahrheit nicht.

Und wer kennt Sie nicht, diese Schlagzeilen von sich scheidenden Ehepartnern, weil sich zum Beispiel ein Ehepartner als homosexuell outet, für den anderen Ehegatten eine ehemals heile Welt in eine einzige Ruine zerfällt und ein hässlicher, öffentlicher Scheidungskrieg entsteht, bei dem auch die Presse kein gutes Haar an dem schuldigen Ehepartner lässt?

Oder die Geschichte des ermordeten Vaterbildes, weil dieser einem die eigene Vaterschaft ein lebenlang verleugnet hat ?

Das uneheliche Kind, auf dessen Rücken ein Rosenkrieg ausgetragen wird, weil ein Ehepartner die Existenz des Kindes zu vertuschen versuchte?

Die plötzlich aufgefundenen Drogen im Schrank des eigenen Kindes, dessen Konsum nicht zur Sprache kam?

Die eingetroffene Kündigung, das „versehentlich beim Umzug verloren gegangene Lieblingsgeschirrtuch“, die Liste an möglichen Situation, die uns dazu verleiten, unsere Worte in Lügenworte umzuwandeln, ist endlos und meistens wollen wir das auch gar nicht so wirklich.

Weder für unsere Worte noch für unseren Partner.

Wenn es dann aber doch soweit kommt, zögern wir es hinaus, das auf dem schnellsten Wege wieder richtig zu stellen und unsere Worte wieder zum Leben zu erwecken.

Betrachten Sie jede Lüge ihres Lebens – und wenn es noch so eine kleine Notlüge war – als ein mörderisches Vergehen an Ihrer eigenen Sprache.

Jedes Lügenwort, das Sie ausgesprochen haben, war ein Mord an einem Wort, das Sie in Ihrem Wort*schatz* besitzen. Ist dieser Schatz nicht einer, den es zu wahren gilt?

Wenn Sie schon oft in Ihrem Leben gelogen haben, dann führen Sie folglich viele leblose Worthüllen in Ihrer Schatzkiste an Worten – Sie benutzen diese aber ständig weiter, ohne zu wissen, dass diese Worte für Sie eigentlich kaum mehr von Relevanz sind.

Theoretisch aber haben Sie immer die Möglichkeit, diese Worte wieder zum Leben zu erwecken und Ihre Seelen aus dem Reich der Toten auferstehen zu lassen.

„Heißt das jetzt also, dass ich einfach aufhören soll zu lügen, damit man meinen Worten wieder Glauben schenkt?“

Wissen Sie…

So einfach ist es dann leider auch nicht – ich wünschte jedoch, es wäre so.

Schauen Sie sich die derzeitigen Scheidungsraten in unserem Land an. Diese Menschen hätten sich höchstwahrscheinlich nicht scheiden lassen, wenn Sie nach der Aufdeckung der gegenseitigen Lügen einfach damit aufgehört hätten.

„Zeit heilt Wunden“, glauben viele. Und auch ich glaube das. Aber Zeit kann Wunden und Gräben auch tiefer graben.

Sie erfahren nach 20 Jahren, dass ihr Partner seit 10 Jahren eine Affäre hat – vielleicht sogar mit dem eigenen Geschlecht.

Sie sind verletzt, wütend, überrascht, entsetzt, verwirrt – und das alles im selben Moment.

All diese Jahre hatten Worte wie *„Ich liebe nur dich“* und *„Ich möchte mein Leben einzig und allein der Nähe zu dir widmen“* keinerlei Bedeutung, denn Sie waren schon lange gestorben.

Auch wenn Ihr Partner sein Verhalten in den nächsten Tagen, Wochen, Monaten und Jahren ändern würde – auf seine Worte wurde einfach zu lange eingestochen, als das man sie sie noch wiederzubeleben wären.

Den aus der Kriminalwissenschaft populären Begriff des „Overkill"(zu deutsch etwa: Übertötung) kann auch auf den Umgang mit unseren Worten übertragen werden:

Die besondere Schwere der Tat und die Erbarmungslosigkeit des Täters im Umgang mit seinem Opfer löst zusätzliches Entsetzen aus und sie werden bei der Beurteilung des Verfahrens und der Gewichtung des Tatbestandes gesondert berücksichtigt.

Entsprechend der Schwere der Beweislast und der Schuldfähigkeit des Täters wird dementsprechend ein Urteil gefällt, das dem Geschädigten angemessen erscheint und für ihn dem Begriff der *Gerechtigkeit* gleichkommt.

Und wenn das nur eine Scheidung kann, dann kann das in diesem Moment eben nur eine Scheidung.

Aber anstatt sich zu fragen, was nun der Auslöser für eine Scheidung war, sollten wir uns in diesen Situationen nicht eigentlich fragen, ob dieser Overkill wirklich von Nöten gewesen wäre und ob er nicht auch hätte verhindert werden können?

Hätten wir nicht schon viel früher einlenken sollen, damit es unsere Worte – und auch unsere Partner,

Freunde, Verwandte und Bekannte – vielleicht noch zurück in unser Leben geschafft hätten?

In eine Welt, in der nicht nur wir, sondern auch unsere Worte noch Leben und Authentizität versprüht hätten?

Je früher wir beginnen, über diese Dinge nachzudenken, desto eher schaffen wir es auch, diesen Moment vielleicht noch zu erwischen, an dem das Wort noch nicht gestorben ist.

Der Moment, an dem wir es nur lebensgefährlich verletzt haben und wir seine hilflose Seele noch retten können.

Bereuen würden Sie es nicht.

Denn auch viele Straftäter wünschen sich in die Zeit zurück, an der Sie noch die Möglichkeit gewährt bekommen hätten, sich gegen Ihre Taten und für das Leben zu entscheiden.

Woher ich das weiß?

Diesen Teil dürfen *Sie sich denken.*

Wenn Sie noch diese Chance haben, dann sollten Sie diese auch nutzen und sich um das Seelenheil Ihrer eigenen Worte kümmern.

Wenn ich Ihnen dabei zur Seite stehen darf, dann begleiten Sie mich in das nächste Kapitel und ich erkläre Ihnen, wie Sie diese große Aufgabe bewältigen können.

Siebtes Kapitel: Verständnis für den Anderen haben – und seine Worte hören

Wenn Ihnen bis zu diesem Kapitel noch nicht die Lust am Lesen ausgegangen ist, dann lassen Sie sich gesagt sein, wie sehr es mich freut, dass Sie meinen Worten bis jetzt so viel Vertrauen geschenkt haben.

Und ich sage das nicht nur so, das ist nicht so selbstverständlich, wie Sie vielleicht glauben mögen.

Es zeigt mir, dass Sie und ich eine gewisse Bindung aufgebaut haben – und dass ganz ohne persönlichen Kontakt.

Also nicht „ganz ohne persönlichen Kontakt", aber ohne *diese Art* von Kontakt, sie wissen schon...

Blickkontakt, persönliches Gespräch, das alles eben.

Vielleicht haben Sie schon ganz vergessen, dass die Worte auf diesem Papier gar nicht Ihre sind, sondern die eines Autors, der dieses Medium nutzt, um Ihnen seine Gedanken zugänglich zu machen.

In Ihrem Kopf klingen diese Worte aber in Ihrer eigenen Stimme.

Ist das nicht irgendwie Gedankenklau? Bis jetzt habe ich noch gar nicht so intensiv darüber nachgedacht, aber…

Während ich so darüber nachdenke, wird mir bewusst, dass ich auf einem sehr dünnen Grat wandere.

Denn während Sie meine Worte, die ich auf diese Seite schreibe, verfolge und parallel in meiner eigenen Stimme mitlese, übertragen diese Worte Ihren Sinn und Sie machen sich diese, sobald Sie sie lesen, gekonnt zu eigen.

Schlau, schlau. Das muss man ihnen lassen. Wen ich damit jetzt meinte? Ob ich Sie als schlau bezeichnet oder doch die Wörter, fragen Sie mich? Die Wörter natürlich, „ihnen" ist ja kleingeschrieben.

Aber vielleicht hat sich auch ein kleiner Fehler eingeschlichen und dieses kleine „i" sollte eigentlich ein großes „I" sein, dann wären tatsächlich Sie als Leser angesprochen gewesen.

So schleierhaft, wie es jetzt mit diesen I-Geschichten zugeht, so undurchsichtig offenbart sich auch die ganze Lage, wenn es um die Frage geht, *wem die Worte auf dieser Seite denn im Moment gehören ?*

Sie finden diese Frage sinnlos? Dann erklären Sie mir doch bitte verständlich, wie es sein kann, dass sowohl Sie als auch ich dieselben Worte lesen und gleichzeitig völlig unterschiedliche Arten besitzen, wie wir sie lesen.

Ich warte.

Na, haben Sie schon eine gute These aufgestellt?

Vielleicht können Sie und ich uns darauf einigen, dass die Worte weder Ihnen noch mir *gehören*, sondern, dass sowohl Sie als auch ich sie „ausgeliehen" haben und dass es sich bei den Worten – auch jenen in unserem Wortschatz – um eine Art „Medium" handelt, das wir aus einer universellen Bibliothek beziehen, in die wir diese Worte nach dem Gebrauch auch wieder einordnen.

Es ist (zugegebenermaßen) etwas schwer vorstellbar, die eigenen Worte als ein „mystisches Medium" zu sehen und zu verstehen, ohne eine spirituelle Komponente mitschwingen zu lassen.

Aber glauben Sie mir: Ich bin nicht gläubig, jedenfalls nicht nach der Bedeutung des Wortes „gläubig".

Und trotzdem glaube ich, dass jeder Sprecher einer ganz beliebigen Sprache für jedes Wort in seinem persönlichen Sprachgebrauch, das ihm als „Medium" zur Verfügung steht, eine personalisierte Ausgabe in seiner eigenen Bibliothek besitzt. Und in jeder Ausgabe sind Daten gespeichert, die für

Ihn mit diesem Ausdruck unwiderruflich verwoben sind.

Nehmen wir zum Beispiel das Wort „Haus". Ein ganz einfaches einsilbiges Wort, das aus vier Buchstaben besteht.

(Falls es Sie interessiert, aus welchen vier Buchstaben es besteht, im nächsten Kapitel finden Sie eine ausführliche… ich mache nur unlustige Autorenwitze. Weiter im Text)

Sie lesen dieses Wort und haben sofort ein Bild von einem Haus im Kopf.

Ein Bild von einem Haus… ein Bild von *einem* Haus ?

Ein Bild von *welchem* Haus eigentlich?

Ein Backsteinhaus, das auf einem rechteckigen Grundstück steht, mit einem kleinen Vorgarten, schlichter Fassade, einer Eingangstür und einem Gabeldach vielleicht?

Oder doch vielleicht eher eine Luxusvilla in modernerem Stil, einer kleinen Minibar, riesiger Terasse, persönlichem Swimming-Pool und eigenem Lift?

Vielleicht denken Sie auch an einen Plattenbau. Ich denke an einen Plattenbau.

Quadratisch, praktisch, hässlich.

Witzigerweise war auch meine erste Assoziation mit dem Wort „Haus“ ein mehrstöckiger Plattenbau in pastellgelber Farbe, weil das über lange Zeit mein Zu**HAUS**e war.

Wir sind also gemeinsam zu der Erkenntnis gekommen, dass auch ein vermeintlich *einfach* zu verstehendes Wort nicht unbedingt auch *eindeutig* zu verstehen ist.

Wenn wir also alle zu *jedem einzelnen Wort in unserem Sprachgebrauch* ein personalisiertes Medium in unserer Datenbank der verwendbaren Worte mitführen… wie können wir dann mit 100%iger Sicherheit sagen, dass ein Gesprächspartner das Bild versteht, das ich mit meinen Worten für ihn zu zeichnen versuche?

Wenn Sie auf diese Frage gekommen sind, bevor ich sie explizit in den vorigen Absatz geschrieben habe, dann macht es mich glücklich, dass Sie offensichtlich noch mitdenken und stolz zugleich, Ihnen mitteilen zu können, dass Sie sich jetzt wirklich darauf eingelassen haben, die Seelen unserer Worte zu verstehen und auch Ihre Geschichten zu hören. Die andauernden Qualen und Repressionen (auf deutsch:Unterdrückungen), die Sie durch die Sprecher erdulden müssen, der Missbrauch, die Fehldeutungen und nicht auch zuletzt die „Tabus“ unter den Worten.

Und wenn wir schon an diesem Punkt sind, dass Sie eine enge und persönliche Bindung zu Ihren „eigenen Worten“ aufbauen können (vergessen Sie nicht, die Worte *gehören* Ihnen nicht), wird es wohl langsam auch an der Zeit, dass Sie Verständnis und ein Gespür für die personalisierten Medien Ihrer Mitmenschen entwickeln – und was sich hinter deren Fassade verbirgt.

Sie kennen doch bestimmt jenen Spruch, der da heißt: *„Wer im Glashaus sitzt, der sollte nicht mit Steinen werfen„*

An Sprichwörtern ist ja bekanntlich immer irgendetwas dran – und wenn es nur ein Punkt am Ende des Satzes ist.

Nach diesem Sprichwort scheinen tendenziell Leute unklug und als Aggressor zu handeln, die selbst sehr viel Angriffsfläche bieten und sich eigentlich in einem deutlich unsichereren Umfeld befinden, als sie selbst zu wissen glauben.

Könnte es also in Bezug auf unsere Worte sein, dass wir eher dazu tendieren mit Worten um uns zu werfen, wenn wir uns von Unsicherheit und Ungewissheit umgeben sehen?

Könnte es sein, dass wir uns oft nicht die Mühe machen, die Worte des Gegenübers richtig zu deuten oder auch umgekehrt, sie unserem Gegenüber verständlich mittzuteilen, weil wir selbst und andere unsere Worte inflationär durch die Gegend werfen und uns die Bedeutung des einzelnen Wortes eigentlich gar nicht mehr bewusst ist?

Denn wie sollen wir unsere Mitmenschen dazu bewegen, unsere Worte richtig zu verstehen, wenn wir unsere *eigenen Worte* noch nicht einmal richtig deuten können ?

„Wer soll sich denn die Zeit für **jedes einzelne Wort nehmen** ???" werden Sie mich gleich fragen.

Ich verstehe, ich verstehe... Ihr Einwand ist berechtigt.

Dieses Kapitel alleine besteht schon aus gut 1200 Worten – und Sie werden wahrscheinlich nicht jedes einzelne auf seine personalisierten Wurzeln hin untersuchen.

Das ist aber kein Grund zur Sorge, ich übrigens mache das auch nicht.

Dafür gibt es ja den tollen Begriff der *„Schlüsselworte" oder „Schlüsselwörter"*, die – sehr laienhaft gesprochen – der Schlüssel zu den Gedanken und Gefühlen unserer Mitmenschen sein können.

Und auf diese Worte gilt es zu achten, vor allem aber gilt es sie zu *hören.*

Denn diese Worte sind meist mehr als nur *Worte* – willkürliche Aneinanderreihungen von Buchstaben, die innerhalb eines Sprecherkreises in ebendieser

Anordnung einen Sinn für diese Menschen ergeben (Haben Sie Worte schon einmal unter diesem Aspekt betrachtet?)

Diese *„Schlüsselworte"* heben sich noch in ganz anderen Bereichen von dem *„Rest der Worte"* ab.

In einem Fließtext wären es jene Worte, die man sich markieren würde, damit man sich den Gesamtzusammenhang oder das Gesamtbild des Textes besser, einfacher und schneller merken kann.

Wie also findet man diese Worte im Gespräch ohne einen aquamarinefarbenen Highlighter?

Wenn ich Ihnen mit einem kleinen Tipp zur Seite stehen darf:

Achten Sie auf die Tonunterschiede zwischen den Wörtern und auf die Betonungen einzelner Worte.

Sie wussten das schon?

Wieso haben Sie dieses Kapitel dann bis hierher gelesen ? Dann sind Sie doch schon längst ein Profi in puncto zwischenmenschlicher Kommunikation.

Falls Sie es aber nicht wussten, lassen Sie mich etwas mehr erzählen.

Vielleicht haben Sie ja schon einmal von „tonalen" Sprachen gehört, die von den absoluten Frequenzen der eigenen Stimme leben.

Ein Beispiel für eine Sprache dieser Art wäre die chinesische Sprache.

In der chinesischen Sprache gibt es vier verschiedene Tonhöhenfrequenzen, die Einfluss auf die Bedeutung eines Wortes nehmen können.

Ähnlich den Tonhöhen der chinesischen Sprache, gibt es auch in anderen Sprachen verschiedene „Töne", die darüber entscheiden können, wie wir die Worte des Anderen hören und interpretieren.

Nehmen wir einen simplen Dreiwortsatz, der diesen Sachverhalt passend als Beispiel unterstützen wird, nämlich die einfache Frage *„Was machst du?"*

Können Sie sich vorstellen, in welchen Situation Sie die jeweiligen Betonungen auf die einzelnen Worte legen würden?

Wenn Sie mit dieser Frage nichts anfangen können, möchte ich Ihnen eine Kurzform dessen liefern, was hinter dieser Beobachtung steckt:

Eine Betonung auf das erste Wort (*„=WAS machst du?")* zu legen, könnte auf eine Betonung der ***in diesem Moment getanen Tätigkeit*** sein, wenn Sie etwa Ihren Ehepartner *in flagranti* mit einer anderen Person turteln sehen und eigentlich doch gerne eine gute Erklärung dafür hätten, ***was*** zum Teufel er (oder sie) gerade mache.

Während das erste „Was“ näher auf die Tätigkeit eingeht, könnte dem zweiten Satzglied in diesem Satz („*Was MACHST du?“*) „unterstellt“ werden, es kümmere sich um ***die nähere Bestimmung eines oder des zu betonenden Prozesses***, etwa wenn Sie ihren Partner nicht nur turteln, sondern auch noch beim Fremd***küssen*** erwischen – und auch mit Ihnen hier nicht zu spaßen ist.

Auch das letzte Glied dieser Wortaneinanderreihung erfüllt seinen Zweck (wenn richtig betont, „Was machst DU?“), nämlich ***das Augenmerk in diesem Satz auf die angesprochene Person*** zu lenken, denn schließlich muss auch unser Partner (oder jede beliebige andere Person) unmissverständlich vermittelt werden, dass Ihre Person gefragt und gefordert ist.

Vielleicht erkennen Sie langsam, wie umfassend und komplex dieses Thema wirklich ist, wenn wir sogar einfache Dreiwortssätze, die Grundlage unserer „*Satzbaukiste*“, durch Abwandlungen der Betonung in Ihren Bedeutungen und in Ihrem Verständnis verändern und variieren können.

Vielleicht hilft Ihnen dieses Kapitel auch dabei, die eigenen Satzkonstruktionen zu hinterfragen und sich mit Ihnen auseinanderzusetzen, damit Sie verstehen können, welche Bedeutung *wirklich* hinter Ihren Worten stecken – und in welchen Situationen diese oder sogar eine andere Bedeutung zutage tritt.

Vielleicht aber Langweile ich Sie auch zu Tode – auch das soll nach einem vierseitigen Kapitel über *Verständnis* mitunter vorkommen.

Ganz egal, welcher Fall nun auf Sie zutrifft:

Dass Sie dieses Kapitel bis zu diesen Zeilen gelesen haben, zeigt mir, dass Sie Verständnis für Ihre Worte aufbringen können oder es zumindest lernen wollen und dafür bedarf es einem gewissen Maß an ***Einsicht***.

III. Die Nachbesprechung

Erstes Kapitel: Jedes Wort hat einen einzigartigen Wert – behandeln Sie es auch dementsprechend

Glauben Sie daran, dass jedes Wort einen einzigartigen Wert besitzt, das noch nicht einmal durch einen bedeutungsgleichen Begriff wiedergegeben werden kann?

Sollte Sie diese Frage mit einem Ja beantwortet habe, freut es mich zu sehen, dass Sie schon einmal Gedanken über diese Frage gemacht haben.

Haben Sie mit einem Nein geantwortet, sind Sie wahrscheinlich Skeptiker von Beruf. Dann hätten wir immerhin eine kleine Gemeinsamkeit, über die wir uns bei Gelegenheit gerne unterhalten können.

Und auch mit einer Enthaltung kann ich mich zufrieden geben.

Ich enthalte mich auch oft - und in meinen Augen ist das auch nicht schlimm.

Wenn Sie sich aber überhaupt nichts unter dem „*Wert*“ eines Wortes oder Ihres „*Wortschatzes*“ vor stellen können, würde ich Ihnen hierbei gerne etwa s unter die Arme greifen.

(Diese Frage ist zwar etwas aus der Luft gegriffen, aber haben Sie sich schon einmal *bewusst* gefragt, aus welchem Grunde sich „der Schatz“ in dem Begriff „Wortschatz“ versteckt ? Vermutlich, weil er eine große Menge an Reichtum mit sich bringt...)

Ich verspreche Ihnen, mein Möglichstes zu geben, um Ihnen nach bestem Wissen und Gewissen eine Hilfestellung geben zu können.

Ich möchte Ihnen diesen Wert *demonstrieren*, in Form eines Wortes, zu dem viele Menschen auf dieser Welt einen engen Bezug haben (oder haben möchten):

Dieses Kapitel soll von *der Liebe* handeln.

Denn wer spricht nicht gerne über die Liebe? Selbst denjenigen unter uns, die zu diesem Begriff eine schwierigere Beziehung als zum Thema Sex führen, sind ihr verfallen.

Wenn Sie sich aber als einen glücklich Verliebten oder als eine glücklich Verliebte mit einem überaus freudigen Geliebten oder einer überaus freudigen Geliebten bezeichnen können, dann ist Ihnen dieses Thema eventuell auch etwas lieber als Sex. Auch wenn Sie den ebenfalls gerne haben.

Fangen wir nun also an.

Wir gehen nach demselben Prinzip vor, wie wir es schon im letzten Kapitel angewendet haben.

Wann waren Sie das erste Mal richtig verliebt? Es muss nicht Ihre erste Beziehung sein, das erste

Gefühl von Liebe kann weit, weit vorher entstanden sein.

Kommen Sie schon, mir können Sie es wirklich sagen. (Es bleibt auch nur in unserer kleinen Runde.)

Haben Sie diese Frage ehrlich beantwortet?

Dann analysieren wir jetzt die möglichen Antworten, die Sie auf diese Frage gegeben haben könnten:

1. Ihre Familie. Für viele von uns wird der erste Kontakt mit und zwischen unseren Familienmitgliedern das erste Gefühl von „Liebe" sein, das wir im Laufe unseres wahrscheinlich noch sehr langen Lebens haben werden. Auch wenn Ihr Leben nicht so lang wie jenes eines „durchschnittlichen gesunden" Menschen ist und Sie das Durchschnittsalter voraussichtlich nicht erreichen können, werden Sie doch mit diesem Gefühl der familiären Liebe vertraut sein. Nicht umsonst gibt es spezielle Begriffe für die „Mutterliebe", die „Vaterliebe", die „Bruder- und die „Schwesternliebe" (oder kurz einfach: Geschwisterliebe). Sie kennen dieses Gefühl, das ich hier verzweifelt versuche mit Worten für Sie auszumalen. Jenes Gefühl der *bedingungs-*

losen Liebe, die es uns erlaubt, der Mensch zu sein, der in uns steckt, jenes gefühlvolle Wesen, das sich manchmal nicht anders mit seiner Umwelt zu verstehen weiß als Sie zu attackieren und das Spielzeug durch das Zimmer zu schleudern, weil uns nicht dieser **EINE** Herzenswunsch erfüllt wurde, nämlich dass wir das Mars für 0,99€ aus dem Kaufland mit nach Hause nehmen durften.
(An dieser Stelle sind wohl meine Kondolenzwünsche an alle werdenden Eltern fällig, wahrscheinlich werden auch Sie vor dieser Art an Erfahrungen nicht verschont bleiben)

2. Ihre zweite Familie: Einige Menschen nennen diesen Teil Ihrer Bekanntschaft auch Ihre *„Freunde“,* für viele ist es aber oft doch mehr als eine „einfache Freundschaft“.
   Je länger wir mit jenen Menschen befreundet sind, die mit uns durch Dick und Dünn, durch Hochs und Tiefs und durch den Media Markt und wieder zurück gehen, desto zentraler werden diese Menschen in unserem Leben. Und so kann bei Eltern auch schnell der Eindruck entstehen, dass man den besten

Freund oder die beste Freundin des eigenen Kindes auch gleich mitadoptiert hat. Freundschaften tragen uns durchs ganze Leben und häufig sind Sie auch die Pfeiler, auf die wir uns stützen (oder die Menschen, an denen wir uns betrunken anlehnen). Wer gute Freunde hat, braucht bekanntlich auch keine Feinde mehr – und das ist auch gut so.

3. Ihr Partner oder Ihre Partnerin: Das könnte die zweite Gruppe an möglichen Assoziationen zum Thema der Liebe sein. Die Liebe zum eigenen Partner ist jene Liebe, die von vielen Menschen auch gemeint wird, wenn Sie über ebendieses Thema sprechen. Vielleicht haben auch Sie in erster Linie an die Liebe zu Ihrem Geliebten oder Ihrer Geliebten gedacht – und das ist auch gut so. Für viele unter uns ist die Beziehung zum Partner vielleicht sogar etwas höherwertig als die zur eigenen Familie. Vielleich fühlt man sich durch den Partner besser verstanden, weniger verurteilt… Oder es ist einfach beruhigend zu wissen, dass wir noch eine Person

in unserem Leben haben, die uns bedingungslos für unser Selbst liebt und uns noch nicht in Windeln gesehen hat. Aber hier sollte ich präziser vielleicht sagen, dass er uns bedingungslos lieben *könnte* – denn für viele ist es leider nicht die Realität und das ist wirklich schade. Wer hat denn nicht schon einmal dieses zankende Ehepaar beim Einkaufen erlebt, dass sich darüber streitet, ob die Biogurken für 1,07€ denn nun wirklich besser sind als die etwas billigere Variante ohne Bio-Siegel dafür aber zum satten Tiefpreis von 55ct.
(Vielleicht merken Sie an dieser Stelle schon, dass ich sehr oft von Begebenheiten in einem Einkaufsladen schreibe. Dazu kann ich sagen: Ich gehe oft und gerne einkaufen - und das nicht zuletzt auch, damit ich Ihnen diese Geschichten aus meinem Leben präsentieren kann!)

Und obwohl der Streit augenscheinlich nur auf der Ebene einer einfachen Gurke ausgetragen werden zu scheint, ist es hinter der Bildfläche wohl eine tiefsitzendere Ansammlung verletzter Gefühle, die nicht richtig kommuniziert, aber als Aussenstehender auch nicht unbedingt verstanden werden kann – wir leben ja schließlich nicht **in** dieser Beziehung.

Vielleicht haben die beiden das Geld nicht so locker sitzen, der eine Partner besteht aber darauf, dass Bioprodukte gekauft werden, während der andere dies absolut nicht verstehen kann.
Vielleicht handelt es sich auch um eine Frage der Macht, in der ein Partner seine Macht über den jeweils anderen demonstrieren möchte, indem er ihn zum Kauf einer Sache bewegt, die dieser **für sich** und sein Seelenheil (Oder seine Gesundheit?) gar nicht unbedingt braucht.

Fakt ist: Sobald man nicht involviert ist, kann man die Situation nie einschätzen – egal wie sicher man zu wissen glaubt, man könne es doch.

(Das heißt aber nicht, dass Sie nichts tun können, wenn es zu einer solchen Eskapade in der Öffentlichkeit kommt: Sollte ein Mitarbeiter dies nicht schon längst übernommen haben, könnten Sie sich selbstbewusst in Richtung des Paares begeben und Sie freundlich darauf hinweisen, dass es in diesem Einkaufsladen noch andere Menschen gäbe, die ihren Einkauf gerne in Ruhe und Einklang über die Bühne bringen würden. Als wirklich hilfsbereiter Mensch bieten Sie vielleicht sogar an, dem Paar beide Gurken zu kaufen, sofern diese Ihnen versprechen, dass Sie sich dann laaaaaaaaangsam auf den Weg Richtung Kasse bewegen. Weitere Tipps gibt es aber nicht mehr – dafür habe ich dieses Buch. Nicht. Geschrieben.)
Wenn Sie also in einer unglücklichen Beziehung leben, ist „Liebe“ vielleicht auch nicht direkt das erste Wort, das Ihnen im Sinn steht, wenn Sie nach Ihrem Partner gefragt werden…
Es muss also nicht unbedingt positiv konnotiert sein. Aber Hauptsache: Es ist da.

4. Ihr(e) Haustier(e):
   Der erste Kontakt mit Pferden, den eigenen Hunden und Katzen oder vielleicht auch mit einer Reihe an Reptilien (falls Ihnen etwas *Exotisches* im Sinn steht) war für viele bestimmt auch eine *erste große Liebe*.
   Diese bedingungslose und absolut reinste Form der Liebe unserer Natur findet man leider nur selten außerhalb der Tierwelt. Daher scheinen auch viele sich schon im frühen Kindesalter um einen guten Draht zu unseren Mitlebewesen zu bemühen.
   Hunde als treue Begleiter des Menschen sind auch seit unzähligen Jahrhunderten unsere ständigen Begleiter, gleiches gilt für Pferde und Katzen, die sich ab und an durch ihren sturen Charakter beweisen, das *Liebesspenden* aber wie keine anderen verstehen.

5. Anderweitiger Liebesersatz: z.B. in Form von Stoff- oder Substanzabhängigkeit, ungesunden Freunden und Bekannten, unglücklich gelebten Beziehungen)

„Pech in der Liebe, Glück im Spiel“ hält sich ja noch als eisernes Urgestein in der Sprichwortkiste der deutschen Sprache.
Für den ein oder anderen kann aber auch Pech in der Liebe Pech im eigenen Leben bedeuten.
Stellen Sie sich vor, dass sich dieses Pech durch ungesunde Freundschaften und unangenehme Verhaltensweisen und Abhängigkeiten äussert.

Vielleicht erkenne Sie an dieser Stelle, dass der Wert eines Wortes nicht nur in ***einer Bedeutung*** liegt und es folglich auch nicht nur ***eine eindeutige*** Interpretation gibt, sondern sich dieser Wert aus vielen kleinen Bausteinen zusammensetzt, die ihr individuelles Verständnis für diesen Begriff prägen.

Wenn Sie das verstanden haben, bin ich mit meinem Ziel für dieses Kapitel eigentlich praktisch fertig.

Und Sie können sich aufmachen und den Wert Ihres restlichen *Wortschatzes* öffnen.

Zweites Kapitel: Weshalb auch unsere Worte etwas Schonung verdienen

Bei diesem Kapitel handelt es sich um ein kurzes, aber wichtiges Thema, das ich Ihnen als guter und verantwortungsvoller Autor, der mit Leib und *Seele* für seine Tätigkeit und Muse für das Fach einsteht nie und nimmer vorenthalten würde; das wäre schließlich unprofessionell.

Ich stehe zwar noch immer dafür ein, dass es keine Tabus geben soll, aber ein Thema zu schnell und zu wirr breitzutreten, tut niemandem Gut – schon gar nicht den Worten zu diesem Thema.

Denn stellen Sie sich vor, dass viele Menschen Ihre Meinung zu ein und demselben Thema abgeben und dieselben Worte und Floskeln übernehmen wie Ihre Vorredner.

Ich glaube an etwas wie eine „Wortinflation“, wenn ich das so nennen darf.

…

Darf ich das denn überhaupt alleine entscheiden? Ihre Meinung als Leser wäre eigentlich ganz hilfreich – sonst sind Sie auch nicht so *wortkarg.*

Ich bitte Sie als Leser einfach meine miserablen Wortneuschöpfungen zu missachten, die werden wohl leider auch kein sehr glückliches Leben führen. Aber dafür *bleiben Sie am Leben.* Aber ob ein für Unglück bestimmtes Leben wirklich *lebenswert* ist… Ich sollte meine Sprache vielleicht noch einmal überdenken

Frei nach dem Motto „*Viele Köche verderben den Brei*“ können es auch viele Menschen schaffen ein Wort – oder viele Worte – zu verderben, indem Sie diese immer wieder verwenden.

Dabei gibt es den Einen, der zu diesem Thema ein sehr persönliches Verhältnis pflegt und versucht, seine Worte mit Bedacht und Behutsamkeit zu pflegen…

Und dann gibt es die Tölpel und Toren unserer Tage, für die dieses Thema schon innerlich gestorben war, bevor Sie überhaupt angefangen hatten darüber zu reden.

Wenn all diese Meinungen zu schnell in einen Topf geworfen werden, dann wird sich wohl auch eine universelle Bibliothek wie z.B. die „Datenbank der deutschen Sprache Co.“ überlastet sehen und Ihre Dienste vorübergehend nicht zur Verfügung stellen können.

Und wenn die Worte des Einzelnen keinen Inhalt mehr vorzuweisen haben, dann ist das eine schlechte Ausgangslage. Eine **sehr schlechte** Ausgangslage, das kann Ihnen jeder Geschichtslehrer in unserem Land erklären.

Für viele Menschen scheint es in unsere Zeit schwierig zu sein, etwas wortlose Stille zu genießen und den eigenen Worten eine Auszeit zuzugestehen. Unter welchen Problemen und Lasten müssen diese Seelen denn leiden, wenn die maximale Zeit für nicht genutzte Worte und absolute Schweigsamkeit eine *„Schweigeminute"* ist (abgesehen davon: nationale Schweigeminuten sind schon so gut wie ausgestorben, in irgendwelchen nichtssagenden Teilen des Landes findet demnach noch immer Lärm statt.)

Machen Sie sich bewusst, dass auch Worte ab- und an Ihren wohlverdienten Urlaub genießen können sollten.

Oder wollen Sie etwa den Ruf einer „ständigen Quasselstrippen" mit sich führen?

Ich sage dazu nur: *Statt Worte tauschen, Stille lauschen.*

Vielleich können Sie hiermit ja etwas anfangen…

Drittes Kapitel: Angstworten nicht mit Angst begeg nen

Bevor wir uns dem Inhalt dieses Kapitels annähern wollen, möchte ich Ihnen ein persönliches Geheimnis offenbaren:

Dieses Kapitel zu schreiben und Ihnen zu präsentieren, kostet mich sehr viel Überwindung – und ich sage das nicht, um Sie mit diesen Worten direkt *ins kalte Wasser zu werfen.*

Einen Leser mit den eigenen Gedanken und Meinungen zu konfrontieren, ohne „knallharte Fakten", Tatsachen und Belege liefern zu können, erfordert eine ganze Portion Mut.

„Wo Mut und Ehrgeiz macht sich breit, sind Angst und Hemmung auch nicht weit", heißt es ja bekanntlich in einem unbekannten Werk…

Um Sie etwas mit dieser plagenden Angst vertraut machen zu können, begeben wir uns nun gemeinsam in ein Gedankenspiel, an dem Sie und ich sicherlich Spaß finden werden:

Stellen Sie sich vor, Sie wären der Autor dieses Buches und müssten sich nun mit Ihrer Angst streiten, die sich zwischen Sie und ein Kapitel, in dem der rechte Umgang mit *Angstworten* gelehrt werden soll, stellen möchte.

Ich wiederum werde mich in die Rolle eines Lesers hineinversetzen, der herausfinden will, in welchen Teilen des Textes sich die Unsicherheiten des Autors bemerkbar machen.

Sie als Autor möchten natürlich eine stramme Figur abgeben und probieren Ihre sprachlichen Unsicherheiten durch knackige und prägnante Sätze auszubügeln, sie müssen doch zeigen, dass Sie ihr Handwerk verstehen und Ihre Waffen (in Form Ihres Schreibwerkzeug und Ihrer *„Stilkanone“)* sicher einsetzen können.

Zielgerichtet und akribisch, durchforsten Sie Ihre Texte nach Fehlern jeglicher Art - das Glanzbild von perfekt-hermetischen und in sich schlüssigen Texten muss ja schließlich gewahrt werden!

Und obwohl Sie die letzten Wochen täglich Ihre Manuskripte und jeglichen andere Wissensanhäufung in ihrem direkten Umfeld gewälzt, am Laptop geschrieben und gelöscht, nächtelang zwischen Coladosen, Kaffeetassen und unzähligen Flaschen mit überzuckerten Energydrinks *„geschlafen“* und die vielen Stunden in Ihr glorreiches Lebenswerk investiert haben, sage ich Ihnen, dass Ihr Buch höchstens als Aushang an einer Toilettentür dienlich wäre – und das auch nur mit der Aufschrift *„Bitte nur in dringenden Fällen (Tür) eintreten – Betreten auf eigene Gefahr“*

Es scheint, als sei Ihr Versuch, die eigene Person durch Ihren geschickten Einsatz vieler Worte zu schützen, an diesem Leser gescheitert.

Sofern Sie diese „Vorgaben“ verinnerlicht haben, dürfte die Beantwortung der folgenden Frage Ihnen genug *Raum* zum Nachdenken schaffen:

Wenn Sie sich jenes Kräftemessen zwischen Autor und Leser vorstellen…

Können Sie nachvollziehen, dass diese Situation nicht nur *stressfördernd,* sondern auch **ängstigend** sein kann?

Vielleicht haben Sie es auch schon unabhängig von diesem Beispiel, ein Gefühl von Angst verspürt , während Sie eine klare Position oder Haltung hinter Ihren Worten einnehmen mussten.

In diesem Fall haben Sie vielleicht, wie ich, Angst vor dem Ausdruck der *„klaren Haltung“* oder einer *„Entscheidung“.*

Ich bin ein sehr unschlüssiger und unentschiedener Mensch, der es vorzieht, dass andere Entscheidungen treffen und sich einfach nach diesen richtet.

Ein sehr unbeschwertes Leben, wie ich finde.

Vielleicht aber ängstigt Sie auch das Bild eines Hundes oder einer Katze und sprechen deshalb nicht gerne über Haustiere.

Vielleicht ängstigt Sie auch die *„Donaudampfschiffahrtsgesellschaft“*.

In diesem Fall jedoch sollten Sie sich von einem Spezialisten über die *„Hippopotamomonstrosesquipedaliophobie“* aufklären lassen und diese wegtherapieren lassen, bevor es letztlich zu spät ist.

Fakt ist jedoch: Es gibt viele Dinge, die uns Angst bereiten können – und einige dieser Ängste graben sich derart tief in unsere Seele ein, dass wir uns sogar vor den Worten fürchten, die in Kontakt mit diesem Thema stehen.

Angenommen, Sie gingen auf einem Jahrmarkt an einen Stand, dessen köstliche Kleinigkeiten Sie sich aus nächster Nähe anschauen möchten. Nach einem kritischen Blick auf die erwarteten Preiszahlungen, entschließen Sie sich dazu, sich nach weiteren Ständen mit denselben Köstlichkeiten kundig zu machen, die jedoch in einer für Sie angemessenen Preisklasse liegen.

So weit, so gut.

Einziges Problem: Sie haben die Rechnung ohne den Verkäufer gemacht.

Sie haben sich in sein umkämpftes Territorium gewagt und während er gespannt Ihren Bewegungen und Ihren Blicken folgt, möchte er noch einer weiteren Sache folgen: Ihrem Bargeld.

An diesem Punkt heißt es *Ruhe bewahren und Hal tung beweisen.*

Doch geht das wirklich *so* einfach?

Na klar!

Sie sagen einfach, Sie hätten gerne noch etwas Bedenkzeit für jene Entscheidung und würden zu einem späteren Zeitpunkt erneut vorbeischauen.

Mit der einzigen Schwierigkeit, dass Sie das natürlich nicht Vorhaben – denn wahrscheinlich werden Sie einander in nächster Zeit nicht mehr begegnen

(außer natürlich, Sie pflegen Ihre Jahrmarktdauerkarte)

Augenscheinlich befinden Sie sich in einer *win-win* Situation, vielleicht hatten Sie dieses Gefühl auch schon, als Sie sich dazu entschlossen haben, näher an den Stand zu treten.

Aus meiner Sicht aber (als Anwalt für die Worte und Redewendungen dieser Sprache) ist das ein klassisches *the winner takes it all* Dilemma…

Und es tut mir zwar leid, Ihnen diese Worte mitteilen zu müssen, aber der *winner* sind in dieser aussichtslosen Lage weder Sie noch Ihre Worte – im Gegenteil: Wenn es in diesem Mantra auch ein *the loser is all broke* gibt, dann sind Ihre Worte wohl die ärmsten Schweine in dieser Runde.

Denn Sie haben es nicht nur **nicht** geschafft, dem Verkäufer eine ehrliche Haltung zu vermitteln, Sie haben die Bedeutung Ihrer Worte, die durch die Lüge schon Ihre persönlichen Seelen verloren hab en, zusätzlich noch durch Ihre Angst *„ersetzt"*.

Und wer nun meinen mag, dass eine ängstliche Seele besser als keine Seele wäre, dem sei auch beigepflichtet, dies jedoch nur aus einem einzigen Grund:

Eine vorhandene Seele zu pflegen, ist weniger zeitintensiv, als eine komplett neue Bedeutung hinter einen Begriff stellen zu müssen.

Weniger Arbeit bedeutet das aber trotzdem nicht.

Viele Menschen lernen den Umgang mit Angst, indem Sie keinen Umgang mit Ihrer Angst führen und versuchen, diese zu vermeiden.

Für manch einen mag dies womöglich sogar funktionieren – doch auch diesen Menschen kann es immer passieren, dass sie sich plötzlich mit ihrer Angst konfrontiert sehen und das vielleicht auch noch zu einem ungünstigen Zeitpunkt.

Wer Spinnen und staubige Ecken meiden möchte, würde sich eventuell nicht unbedingt in die Tiefen eines Dachbodens begeben. Trotzdem kann er sich keine Garantie darauf ausschreiben, dass nicht Oma Hilde an ihrem 80.Geburtstag beschließt, die eigenen Klamotten aus ihren Jugendzeiten in einer

Modenschau zu präsentieren – mit allem, was zu diesen Kostümen ebene dazugehört.

Menschen mit Höhenangst würden sich wahrscheinlich auch nicht freiwillig auf eine Plattform stellen, die in 40m Höhe steht. Stellen Sie sich aber vor,eine dieser Personen würde in einen Aufzug steigen, dessen Boden sich während der Fahrt als ein durchsichtiger Glasboden entpuppt und mit dem sie in die 15. Etage eines Gebäudekomplexes fährt.

Mit keinem dieser Menschen würde ich tauschen wollen, aber durch diese Erfahrungen würden Sie jene Art des Angstbewältigungsprozesses bestreiten, der eigentlich auch am Wichtigsten ist:

Die ***offensive Begegnung*** mit der Angst.

Jene Begegnung, die uns zeigt, dass wir die Angst noch *spüren* können und sie noch immer präsent ist.

Erst diese Erkenntnis schafft eine Basis, auf der eine Person mit Ihrer Angst *umgehen lernen* kann.

Und das gilt auch für den Umgang mit *Angstworten*.

Erst die bewusste Auseinandersetzung mit diesen Worten kann uns dabei helfen, die Dinge zu benennen, die uns ängstigen. Am Einfachsten ist diese Aufgabe zu bewältigen, wenn Sie sich privat mit Ihren Angstworten beschäftigen probieren *Vers tändnis* für sie zu zeigen.

Sie müssen sich auch nicht davor schämen, diese Worte laut auszusprechen, denn wenn Sie schon Angst vor dem Aussprechen dieser Worte entwickeln, werden Sie wohl eine ganze Weile brauchen, bis Sie hinter die Bedeutung Ihrer Angstworte bzw. die Gründe Ihrer Angst kommen werden.

Und wenn Sie diese Worte lesen, glaube ich nicht, dass das so uninteressant für Sie klingt.

Ich habe meine Angst als Autor offen dargelegt und Sie offensiv mit ihr konfrontiert, auch das war ein Zeichen meines Vertrauens in und an Sie.

Ab hier liegt es an Ihnen, ihre Angstworte aussprechen und sich bewusst mit ihnen „*streiten*“ zu könn en.

Viertes Kapitel: Gesprächskultur pflegen

Es scheint in unseren Tagen ein offenes Geheimnis zu sein, dass es unter Parteien mit konträren Meinungen und Weltanschauungen mitunter zum Streit kommen kann

Dabei können ganz unterschiedliche Parteien im Zwist liegen, z.B. politische Parteien, Aktivistenbewegungen, verfeindete Völker, konkurrierende Bäckerunternehmen oder auch zankende Hunde - die Liste an potentiellen streitenden Parteien ist endlos.

Die Allermeisten von uns haben dies schon Kindergartenalter gelernt:

Emma hat die Süßigkeiten von Peter geklaut und an andere Kinder verteilt, nur um zu erwirken, dass Peter seinen diabolischen Racheplan in die Tat umsetzt, indem er ihr Spielzeug im Sandkasten verbuddelt.

Wem ist denn nicht schon einmal diese oder eine ähnliche Geschichte passiert?

Zwar hat Emma als Auslöserin des Streits Peters persönliche Grenze als Erste übertreten, wenn man jedoch bedenkt, dass der durch diese Handlung erzeugte Distress wiederum der Auslöser für die Reaktion von Peter war (nämlich, dass er Emmas Spielzeug versteckt hat) und er folglich auch nicht ganz unschuldig an diesem Dilemma zu sein scheint, könnte man sich folgende Fragen stellen :

1. Aus welchem Grund hat Emma Peters Süßigkeiten geklaut?
2. Hätte Peter vielleicht anders gehandelt, wenn Emma ihm erklärt hätte, *warum* sie seine Süßigkeiten geklaut und an andere Kinder und verteilt hat?

In diesem Beitrag möchte ich den Fokus aber auf eine andere Frage legen:

Was könnte passieren, wenn Emma und Peter mit diesem Bild der Konfliktlösung heranwachsen?

Denn ob Sie es anerkennen wollen oder nicht: Die Emmas und Peters werden älter und sie befinden sich unter uns. Jeder von uns könnte eine unkooperative Emma oder ein nach Selbstjustiz lechzender Peter sein - und das auch noch zu jeder Zeit.

Wahrscheinlich sind Sie und ich sich in einigen Punkten einig:

1. Die Art der Auseinandersetzung wird im Verlauf der Reifeentwicklung der beiden Kontrahenten höchstwahrscheinlich nicht mehr auf der Basis geklauter Süßigkeiten und versecktem Spielzeug bleiben...

...sondern sich auf zentralere Lebensfragen konzentrieren, die eng mit dem eigenen Gefühl von Wertschätzung verknüpft sind.

Wertschätzung, für die eigene Persönlichkeit, aber auch Wertschätzung für die Menschen, mit denen man im direkten Kontakt steht.

Beispielsweise könnten Emma und Peter später Bäckermeister in einem kleinen, überschaubaren Dorf sein und versuchen, durch dauerhaften Preissturz und Rekordtiefpreise beliebter Dinkelbrotsorten den jeweils anderen zu übertrumpfen und ihm die Kundschaft zu entlocken.

2. Vielleicht werden Emma und Peter später nicht in der Lage sein, mit anderen Menschen im Falle eines Konflikts in ein gemeinsames Gespräch zu treten,...

...weil sie schon im Kindesalter gelernt haben, dass der Weg nach der allgemeingültigen These, Gleiches mit Gleichem zu vergelten ("DU redest nicht mit MIR, dann rede ICH auch nicht mit DIR") jener des geringsten Widerstandes ist - und der lässt sich eben immer am Einfachsten wählen.

3. Hier folgt nun der unrealistischste Fall:

Emma und Peter kommen ins Gespräch. Sie suchen im Eifer des Gefechts den Kontakt zum jeweils anderen, von einem "*Gespräch*" kann aber leider nicht die Rede sein...

...denn die beiden Streithähne sind zwei individuell robuste und kritikunfähige Choleriker, die ihrem Gegenüber liebend gerne ins Wort fallen (sofern dieser es schafft seine Gedanken über die eigenen Lippen zu bringen)

Und wer meint, dass ich mit der Darstellung dieser Personenbilder übertreibe, dem soll gesagt sein:

Es gibt diese Menschen, deren Stammtischparolen derart laut über den Tisch tönen, dass Sie durch das allseits bekannte Ohrenklingeln auch an Folgeerscheinungen wie z.B. Gedächtnisschwund ("Das weiß ich nicht mehr, also ist das nicht passiert"), Wahrnehmungsverschiebungen ("Du hast angefangen, ich habe reagiert, du weißt: actio = reactio und so") und letztlich auch an Intelligenzminderung leiden, denn wer nicht *ZU*hören kann, der lernt bekanntlich nichts und kann keine Fragen stellen.

Und jedes Kleinkind weiß:

Wer nicht fragt, bleibt dumm!

(Sie wurden gerade Zeuge, wie ich die Verkettung unterschiedlicher Stilmittel ganz stilistisch stilsicher nutzte, um Sie, werten Leser, gezielt zu verwirren und ich taufe sie ***das Gesetz der Anhäufung von Stilmitteln;*** ich hoffe aber trotzdem, dass Sie meinen Ausführungen folgen konnten.)

Eine letzte Frage möchte ich Ihnen noch mit auf den Weg geben:

Welchen Rat könnten Sie Emma und Peter geben, damit diese in Zukunft ein adäquates Maß situationsangemessener Konfliktlösung betreiben können - ohne einem der beiden Partei und Sympathie zuzugestehen?

Denn, wie schon zu Beginn des Textes angeführt wurde, könnte jeder von uns zu jedem erdenklichen Zeitpunkt eine Emma oder ein Peter sein und wahrscheinlich würden viele sich verletzt fühlen, wenn die eigene Realität von anderen Menschen hinterfragt und missverstanden wird.

Wenn Sie mir nicht glauben, dann schauen Sie sich einfach moderne Late-Night Talkshows an. Informationen aus erster Hand kann ich allerdings nicht liefern - leider war ich wie die Allermeisten noch nicht bei Markus Lanz, weil ich (wie viele andere) bisher nur in meinem E-Mail Postfach unter der Adresse "*allesnureintraum@träumweiter-online.de*" ein Einladungsschreiben erhalten habe.

Sollten Sie jetzt erwarten, dass ich Ihnen eine Antwort auf eine Frage liefere, die von klugen und studierten Psychotherapeuten diskutiert wird, die Jahre und Jahrzehnte mit der Ausweitung ihres Wissens auf dem Gebiet der Konfliktlösung verbracht haben, ohne gewinnbringende Erkenntnisse vorbringen zu können, so muss ich Sie leider enttäuschen.

Nach meinem letzten Kenntnisstand, existieren Konflikte noch auf der Welt, daran werde ich auch in Zukunft nicht viel ändern können.

Am ehesten rate ich Ihnen, sich mit diesen Fragen zu beschäftigen und eine Antwort nach ihrem Gewissen zu bilden – schon damit können Sie eine *Gesprächskultur vermitteln.*

Fünftes Kapitel: Wer „mit leidet“ kann nicht „mit fühlen“

Dieses Kapitel wird in seinem Aufbau grundlegend anders aufgebaut sein, als Sie es von vorangegangenen Kapiteln vielleicht gewohnt sind.

Diesmal möchte nicht ich die Gewalt über das Geschriebene und die dahinterstehende *„Moral“* haben, denn schließlich soll sich dieses Buch auch mit *Ihrem* personalisierten Inhalt füllen und *ein weiteres Leben erfahren.*

Glauben Sie aber nicht, ich würde diese Wohltat ausschließlich aus *wohltätigen* Zwecken tätigen, um Ihnen meine absolute Selbstlosigkeit vorführen zu können – ich denke hierbei vor allem an **mein** Image. Oder würden Sie lieber den ganzen Tag mit einem nörgelnden und besserwisserischen Autor und *Moralprediger* auf einem Sofa sitzen, der Ihnen und jedem weiteren Leser ständig vorhält, dass Ihrem Umgang mit Ihrer Sprache sowohl Innovation als auch etwas Abwechslung fehlen?

Wenn Sie meine ehrliche Meinung zu diesem Thema hören wollen:

Für mich klingt dieses ganze Konzept eher nach *Konfliktvermeidung* als nach einem *gewinnbringenden Plausch* für beide Parteien.

Sie dürfen mich an dieser Stelle einen Egoisten nennen, aber auch ich möchte diese Sache gut über die Bühne bekommen – und das am Besten ***ohne*** mein Fett wegzubekommen.

Das ist nicht einfach, das können Sie mir glauben. Mit jeder Seite wandele ich auf einem schmalen Grat zwischen Ratgebertum und Selbstüberschätzung, witzigen Anekdoten und langweiligen Floskeln und nicht zuletzt auch zwischen Genie und Wahnsinn.

Versuchen Sie doch einmal anderen Menschen erklären zu wollen, dass *Worte etwas besitzen, das einer menschlichen Seele gleichkommt* **ohne** der Gründung eines neuen irrsinnigen Kultes bezichtigt zu werden **oder** von schon bestehenden kultischen Gruppen und Religionen angeklagt und für dieses These ins Fegefeuer gewünscht zu werden, da Worte ja nun ***wirklich*** **ALLES** sein dürfen, solange Sie keine menschlichen Eigenschaften oder gar eine vollkommene Vermenschlichung erfahren.

Trotzdem sitze ich hier vor den Lichtern meine Computers und versuche ebendas zu erreichen:

Einen Diskurs über die Seelen unserer Worte.

Und ich kann Ihnen sagen, dass nicht jeder sein Mitgefühl für mich und „meine“ Worte zeigen wird.

Im besten Falles erregen meine Worte noch Ihr *Mitleid*, mit dem sie Ihnen zwar Platz zum Wirken, aber keinen Raum zum *Einwirken* schaffen.

Um diesen kleinen, aber feinen Unterschied zu verstehen, möchte ich Sie diesmal nicht dazu nötigen, auf mich und meine Worte zu reagieren; vielmehr möchte ich meinen *Wirkraum* auf Sie und Ihre Erlebnisse ausweiten.

Nachdem ich nun schon genug Zeit mit diesem Buch und Platz auf diesen Seiten vergeudet habe, soll es hier um *Sie* gehen. *Sie* sollen dieses Kapitel steuern und sich in den Raum Ihrer eigenen Gefühle begeben. Um mich müssen Sie sich keine Gedanken machen:

Ich begleite Sie auf dem Weg dorthin, vorziehen würde ich es aber, Ihnen und Ihren Worten lauschen zu können, auch wenn Sie mich derzeit nicht neben Ihnen sitzen sehen können.

Meine einzige Bitte in diesem Kapitel wird es sein, dass Sie mir von Ihrem erschütterndsten Ereignis berichten.

In diese Intimsphäre einzudringen, ist mir leider etwas unangenehm, jedoch muss auch ich meine Haltung beweisen, nachdem ich Ihnen Gesprächsbereitschaft über verletzende Themen und den Bruch Ihrer *„Tabuworte“* vorleben muss.

Sie können sich auch Zeit lassen, ich werde Ihren Worten geduldig lauschen.

Sie können alle Erwartungen und Anforderungen an mich als Person, aber auch an mich als Autor richten, die ich jedoch mit einer kleinen Einschränkung versehen möchte:

Erwarten Sie kein Mitleid.

Von meiner Wenigkeit werden Sie dieses *Gefühl* auch nicht bekommen – und ich hoffe für Sie, dass Ihnen auch keine Selbstmitleid im Sinn steht.

Denn obwohl es diese Worte in unserem Sprachgebrauch gibt (und wir Sie auch oft genug benutzen), sollten Sie diese Vokabeln aus Ihrem Wortschatz streichen.

Sie müssen es nicht, aber ich würde es Ihnen raten.

In diesem Buch haben Sie und ich schon einige Gedanken zur *Wort- und Bedeutungsinflation* gewechselt – vielleicht habe ich das nicht immer exakt in dieser Art benannt (oder es gar ein einziges Mal erwähnt), ich meine aber zu spüren, dass auch Sie bis zu diesem Punkt ein feineres Gespür für Ihre Worte entwickelt haben.

Es ist auch nicht schlimm, wenn dies nur auf den Begriff *Wurst* zutrifft.

Sie sollten jedoch ein Empfinden dafür entwickeln, wie fragil die Worte sind, die Sie jeden Tag auf Ihrem persönlichen Lebensweg verlieren.

Dass *Mitleid* nicht gleich *Mitgefühl* bedeutet, können sich viele zwar irgendwie denken, jedoch können nur die Wenigsten etwas mit dieser neunmalklugen Floskel anfangen – und auch das ist nicht schlimm.

Vielleicht sollten sowohl Sie als auch ich uns von dem Gedanken trennen, schlimme Dinge solange als schlimme Dinge wahrzunehmen, dass aus dem anfänglichen Leid auch noch *Mitleid* von und für andere entsteht.

Ihnen mag meine Meinung vermutlich nicht passen, aber ***Mitleid*** nützt niemandem.

Weder Ihnen als Leidträger noch mir als *Mitleider.*

Mitleid durch das *„bedeutungsgleiche"* Mitgefühl zu ersetzen, mag für Sie nach einer zu einfachen und fast schon hohnvollen Aufgabe klingen, doch an dieser Stelle sollten Sie mir und meinen Kenntnissen Vertrauen schenken:

Zwischen diesen Worten liegen ***Welten.***

Nicht nur *Sprachwelten*, auch *Gefühlswelten*.

Ihr Gegenüber zu zwingen, sich ausschließlich mit Ihrem Leid zu betrauen, scheint mir wiederum sehr egoistisch von *Ihnen.* Für dieses Leid auch noch ***Mit****leid* zu erwarten, fast schon zynisch.

Damit leiden nicht nur Sie als Betroffener, sondern auch der Erfasser *Ihres ganzen Leids.*

Und möchten Sie dafür verantwortlich sein, dass nicht nur Sie, sondern auch Ihre ***Mitmenschen*** leiden, bloß weil Sie sich dazu entschieden haben, dieser Person nur Ihr Leid mitzuteilen und den Rest Ihrer Gefühle verborgen zu halten?

Für mich klingt das nach einer Unehrlichkeit, aber viel wichtiger als das ist:

Wem gegenüber sind Sie denn *unehrlich?*

Mir?

Ihrem Partner?

Ihren Freunden?

Oder vielleicht sogar Ihrem eigenen *„Leidgefühl“?*

Wissen Sie:

Mir gegenüber müssen Sie keine Unehrlichkeit zeigen. Ich kenne Leid. Wie viele andere Menschen auf diesem Planeten kenne ich Menschen, denen schlimmes Leid widerfahren ist. Auch ich habe lange Jahre gelitten und leide auch heute noch unter vielen Ereignissen, deren Aufarbeitung unter Umständen nicht an erster Stelle standen.

Ich glaube auch, dass Ihr Partner und Ihre Freunde lernen mussten, mit Leid umzugehen. Ob diese auch den *„richtigen“* Umgang mit *Leid* gelernt haben, dürften Sie besser beurteilen können als ich – ich bin nur ein Autor und habe faktisch auch keine „persönliche“ Beziehungen zu Ihnen und Ihren Mitmenschen.

Was ich Ihnen aber bieten kann, ist meine persönliche Beziehung zum Begriff des Leids und (das sogar noch viel wichtiger) mein *Mitgefühl.*

Wie Sie, bin ich ein denkendes und fühlendes Wesen, das nicht nur *Ihr Leid*, sondern auch die Gefühle, die dieses mit sich bringt, verstehen und nachempfinden kann.

Wissen Sie, was ich jedoch nicht kann ?

Ihre Gefühle hören und verstehen, wenn Sie mir nicht von ihnen berichten und stattdessen nur *Ihr Leiden* vorschieben.

Andersherum funktioniert das genauso wenig.

Ich kann kein kein Mitgefühl von Ihnen erwarten, wo *außer Leid* kein Gefühl für eine gemeinsame Basis vorhanden ist.

Wenn Sie sich meine mahnenden Worte bis hierher durchgelesen haben, würde ich das Redezepter gerne an Sie übergeben und Ihren Erlebnissen zuhören.

Wenn ich Ihnen mit etwas zur Seite stehen darf, sagen Sie es ruhig.

Nach Ihrem Vertrauensbeweis, können Sie auf mein Mitgefühl zählen.

Sechstes Kapitel: Das Nachwort als Vorwort nutzen

Nun haben Sie es endlich geschafft.

Gemeinsam haben wir das letzte Kapitel erreicht und ich als Autor hoffe, dass dieses Buch Ihnen dabei zur Seite stehen konnte, ein Gefühl für die eigenen Worte und die Worte unserer Mitmensch-en zu entwickeln und *Mitgefühl* zu zeigen.

Dieses Kapitel soll jedoch noch einen letzten Zwe-ck erfüllen:

Das anfängliche Nachwort zur Sprache zu bringen.

Falls Sie sich gefragt haben, aus welchem Grund dieses Buch mit einem *Nachwort* eröffnet wird, während am Anfang eines Buches typischerweise ein *Vorwort* erwartet wird.

Vielleicht dürfte Ihnen diese kleine Irritation zu Beginn des Buches aufgefallen sein, trotzdem ist es kein Weltuntergang, wenn Sie diese kleine Information wieder vergessen haben, da von einer Erklärung jede Spur fehlte oder Sie Ihnen schlicht ni-cht wichtig vorkam.

Vielleicht aber erinnern Sie sich noch an dieses Gefühl, das diese kleine *Ungereimtheit* ausgelöst hat.

Oder aber Sie sind einer dieser Leser, der sich zwar nicht das Ende verderben, aber auch nicht das ganze Buch lesen möchte und *nur ein paar* Kapitel überspringt (und auch dafür möchte ich Sie nicht verurteilen)

Einen letzten Rat aus diesem Ratgeber möchte ich Ihnen mitgeben:

Ein Nachwort muss nicht immer ein Nachwort sein, Sie können es auch als Ihr persönliches *Vorwort* verwenden.

Nach einem Streit ist es zwar ratsam, sich nach der Konfliktlösung darum zu bemühen, jene Dinge zu verändern, die als Auslöser für den Streit galten ,trotzdem sollte auch die Zeit gegeben werden, um diese die Streitpunkte nachhaltig verändern zu können.

Solange dieses Umfeld nicht gegeben ist, wird es wahrscheinlich gar nicht erst zu einem *Nachwort* kommen, sondern schnurstracks wieder zum nächsten Streit.

Sie verstehen nicht, was ich meine ?

Dann lassen Sie es mich noch einmal umformulieren:

Im Zahnarztwesen gilt der allgemeine Glaubenssatz „*Vorbeugung schlägt Behandlung*“ und tatsächlich ist Prophylaxe auch ein Schlüssel, um eine gesundes Verhältnis zu den eigenen Worten zu entwickeln.

Wenn Sie mit diesem Buch erst begonnen haben, sich mit Ihren gebrochenen Wortseelen zu beschäftigen und Sie zu pflegen, dann wird es wohl noch eine ganze Weile dauern, bis sie an Ernsthaftigkeit und Ehrlichkeit zurückgewinnen können, diese dann dauerhaft zu halten, wird Sie ebenfalls einiges an Zeit kosten.

Aber es ist Zeit, die Sie in Ihre Glaubwürdigkeit investiert haben.

Und welches Geschenk könnte schöner sein, als eine positives Umfeld, indem die eigene Person offen und glaubwürdig auf andere Menschen zugehen kann ?

Dieses Glück ist ein kostbares Gut und ich hoffe, Sie wissen es zu schätzen.

Letztes Kapitel: Was hat dieses Buch Ihnen jetzt eigentlich gebracht ?

Nachdem ich jetzt auf (Seitenzahl) philosophiert und Sie durch die Welt der Wortseelen begleitet habe, würden Sie jetzt wohl gerne wissen, was Ihnen dieses kleine Buch voller *Halbweisheiten, besserwisserischer Sprüche und komischen Autorenbeispielen* eigentlich gebracht haben soll.

Um wenigstens ein Kapitel in diesem Buch kurz fassen zu können (und um zu vermeiden, dass Sie sich ans Ende schleichen und die eigene Überraschung verderben) möchte ich diese Frage in einem knappen und prägnanten Satz beantworten, der in seiner Aussage mysteriöser und verschlüsselter nicht sein könnte:

Handle mutig und Bedacht und gib auf deine

Worte acht !

IV. Eine persönliche Nachricht von und zum Autor

„Wissen Sie…

Als ich mir spontan dieses irrwitzige Vorhaben in den Kopf gesetzt hatte, dass ich ein ganzes Buch innerhalb von wenigen Wochen schreiben, ausarbeiten und veröffentlichen möchte, war es ursprünglich noch nicht mein Gedanke, dass es sich derart rasant entwickelt und es in 14 Tagen den Status „publizierbereit“ annehmen konnte. (Manche brauchen immerhin Jahre, bis Sie das erste fertige Buch in Ihren Händen halten).

In erster Linie war es nur eine flüchtige Idee von vielen, die ich in meinen ganzen Lebensjahren auf dieser Erde hatte.

Ich hatte aber schon früh das Gefühl, dass ich irgendwo in und aus meinem riesigen Gedankenarsenal ein komplettes Buch zaubern könnte.

Ich bin zwar noch recht jung, aber was viele vielleicht nicht wissen oder eventuell sogar irgendwann bemerkt, aber nicht benannt haben, ist die Tatsache, dass ich ziemlich abgebrüht bin und etwas auf *Kriegsfuß* mit dem Leben steht.

Wer mich kennt, der weiß, dass ich in meinem noch recht jungen Leben einiges durchlebt habe und immer eine passende Strategie parat hatte, die mich und mein Seelenheil optimal und konstruktiv schützen konnte. Auch wenn es mitunter auch bedeutete, dass ich etwas unehrlich mit mir und meinen Mitmenschen umgehen musste.

Aber das war mein Weg. Der Weg des geringsten Widerstandes – und dieser Widerstand kam meist aus meinen eigenen Gedanken und Gefühlen.

Um es für Sie ehrlich zu formulieren: Die meiste Zeit über war mir das auch egal.

Vielleicht können Sie, lieber Leser, nachvollziehen, dass es für mich einfacher war, meine Gefühle und Gedanken durch Unehrlichkeit, wenig Transparenz und auch Drogen vor dem Ausbruch zu hindern, als mich anderen Menschen gegenüber zu öffnen und meine Emotionen mit Ihnen zu teilen – ich hatte es in meinem Leben nie anders gelernt oder korrekt „vorgelebt“ bekommen.

Aber selbst, wenn Sie es nicht können: Ich teile es mit Ihnen.

Denn das Wort „Transparenz“ lebt nur durch Transparenz.

Das Schreiben dieses Buches (und selbstverständlich auch das Schreiben meines Blogs), hat mir endlich die Möglichkeit verschafft, meine Gefühle in **meine Worte** und in eine sinnvolle, auf mich zugeschnittene Passform zu bringen.

Schreiben kann ich ja schon, seit ich denken kann. Und denken kann ich auch – und das nicht erst, seit ich schreiben kann.

Durch dieses Buch und meinen Blog hat einiges jetzt die richtige Form.

Und die hat mir lange Zeit gefehlt.

Wie also kam ich inmitten dieses Wirrwarrs auf die Idee, dieses Buch zu schreiben?

Wie jeder, der ein neues Lebensprojekt beginnt, hatte auch ich natürlich meine ersten und anfänglichen Zweifel.

Als ich im Internet z.B. nach Strategien gegoogelt habe, wie man über den eigenen etwas mehr Traffic (=Besucher) generieren und Leser dazugewinnen kann, lieferte mir dieses prompt die einfachste Antwort, die eigentlich auch auf der Hand lag:

Indem man Ihnen etwas bietet, das sie geboten haben möchten.

In unserer Welt sind die meisten Dinge, die wir geboten haben möchten, nur in Form von Konsumgütern erhältlich:

Lebensmittel, Bildung (in Form von Büchern oder Medien), Klamotten und alles andere, das den Wert einer *Eigenmarke* ausstrahlt.

Und auch das möchte ich Ihnen ehrlich sagen:

Ich war erst einmal etwas entmutigt, weil ich nicht wusste, was ich anzubieten habe.

Nach einiger Recherche, sprang mir die Verlegung eines eigenen E-Books jedoch sehr schnell ins Auge – und klang obendrein auch noch lukrativ und realisierbar.

Also habe ich mich am nächsten Tag hingesetzt und „drauf losgeschrieben“- und die ersten 11 Seiten entstanden in unglaublicher Rasanz.

Der nächste Dämpfer meines Vorhabens folgte jedoch in Kürze, als ich mich auf einer Internetseite erkundigen wollte, die mich eigentlich in meinem Vorsatz *„bestärken“* sollte:

Ein Tipp dieser Seite umfasste den Punkt, dass Menschen, die – ganz gleich, ob im Blog oder E-Book Vertrieb – einfach losschreiben, ohne Sinn und Verstand, wahrscheinlich auch nicht sehr erfolgreich mit ihren Schriftstücken sein werden…

Alleine von diesen Worten, hätte ich mich endgültig entmutigen lassen können, bevor ich überhaupt angefangen hatte, den ersten Satz zu schreiben – und ein Teil meiner früheren Person hätte das zeitweise auch getan.

Ich entschied mich jedoch dazu, dieses Projekt weiterzuführen und während des Schreibens wurde mir allmählich klar, dass ich es auch weiterhin verfolgen möchte – und dass diese Tipps vielleicht auch nicht in erster Linie für Menschen gedacht sind, die sich vornehmen, ein über 100 Seiten langes Buch in unter einem Monat – oder sogar in unter zwei Wochen – zu schreiben und zu veröffentlichen.

Deshalb habe ich weitergemacht.

Ich kann Ihnen sagen, dass ich diese Entscheidung in keinster Weise bereue und davon überzeugt bin, dass dieser Weg der richtige für mich war.

Und jetzt habe ich tatsächlich ein wenig Erfolg, wenngleich es nur wie ein kleiner persönlicher Erfolg zu wirken scheint.

Aber Erfolg ist Erfolg. Punkt.

Wenn ich Ihnen noch einige persönliche Worte auf den Weg mitgeben darf (Ich weiß, ich weiß. das mache ich schon die ganze Zeit, aber Sie wissen, was ich meine, *oder?* Ganz nach der Manière guter Bücher und Autoren mit dem persönlichen Kram und der Inspiration und so…), dann sind es folgende:

Ich denke (und das denke ich WIRKLICH), dass jeder, der mit dem Gedanken spielt selbst einmal ein kleines Buch verlegen zu wollen, sich wenigstens einmal im Leben vornehmen sollte, ein 100

Seiten langes Buch in einem Monat zu schreiben. So anstrengend und das klingen mag, möchte ich Ihnen auch sagen, weshalb ich glaube, dass diese Herangehensweise sich für Sie als gewinnbringend erweisen könnte:

Man hat die Möglichkeit, sich ein klares Bild davon zu machen, wie weit man es mit den eigenen Gaben und geistigen Befähigungen schaffen und dabei sollte es noch nicht einmal in erster Linie darauf ankommen, welches Resultat schlussendlich aus dieser Idee entspringen wird.
Denn wir alle verlieren irgendwann das Interesse an Dingen, wenn wir Sie nicht konsequent und zeitnah verfolgen –ich stelle hierbei keine Ausnahme dar.

Ich glaube, dass viele mit dem Gedanken spielen, ein Buch schreiben wollen und – unter uns gesprochen - 100 Seiten sind keine übertriebene Anzahl, für die es erst ein ganzes Leben braucht, um Sie mit Inhalt zu füllen, jedoch sind es auch nicht zu wenig, als das man diese Aufgabe *einfach so kurzerhand ohne Konzept* bewältigen kann.

Wenn es klappt, dann freut es mich unheimlich für Sie und Sie haben ein weiteres Buch, dass Sie in Ihre üppige (oder nicht so üppige) Büchersammlung einordnen können – und das ist sogar selbst geschrieben.

Zudem können Sie es von Ihrer Bucket List streichen, denn wer will nicht einmal ein eigenes Buch mit dem eigenen überdimensionierten Gesicht als Cover haben

Und Wenn es nicht klappt, dann klappt es eben nicht.

Sie mögen vielleicht kurz enttäuscht sein, aber auch das lässt sich überleben.
Und sobald Sie aus Ihrer existenziellen Krise herausgefunden haben, müsste Ihnen bewusst werden, dass Sie vielleicht nicht dazu bestimmt sind, sich Autor eines Buches nennen zu dürfen, wenn Sie nicht konsequent dranbleiben – und auch diese Erkenntnis ist eine wichtige, denn es kann ja nicht jeder hier als Autor herumspazieren
Wo kämen wir denn da hin mit so vielen schlauen Leuten ***auf einmal!***

Probieren Sie es aber immer wieder, denn die allein die Erfahrung ist es wert!

- Erfahrungsbericht einer angehenden Autorin

Hoffentlich hat Ihnen das Lesen dieses Buches etwas Spaß, aber auch einige Denkimpulse eingebracht. Über beides würde ich mich natürlich sehr freuen ☺

Mit ganz herzlichen Autorengrüßen

J.Gabriel